초등 수학 핵심파트 집중 완성

초3

C2

들이와 무게

사고력
문제해결력

측정 · 규칙성
자료와 가능성

에듀히어로
Edu HERO

"진짜 히어로는 우리 아이들입니다!"

에듀히어로는
우리 아이들이 밝고 건강한 내일을 꿈꿀 수 있도록
긍정적이고 효과적인 교육 서비스를 제공하는 것을
최우선 목표로 하고 있습니다.

그 존재만으로도 든든한 히어로처럼 아이들의 곁에서 힘이 되어주고,
나아가 아이들 각자가 스스로의 인생 속 히어로가 될 수 있도록

우리는 진심과 열정을 다해 아이들과 함께 할 것을 약속 드립니다.

네이버 카페

교재 상세 소개와 진단 테스트
및 유용하게 풀 수 있는
학습 자료를 다운로드 해 보세요.

인스타그램

에듀히어로 인스타그램을
팔로우하시면 다양한 이벤트와
신간 소식을 빠르게 만나보실
수 있습니다.

카카오톡 채널

자녀 수학 공부 상담 및
자유로운 질문을 남겨 주세요.
함께 고민하고
답변해 드리겠습니다.

히어로컨텐츠 HEROCONTENS

발행일: 2023년 1월 　　　**발행인:** 이예찬

기획개발: 두줄수학연구소

디자인: 4BD STUDIO 　　　**삽화:** 1000DAY

발행처: 히어로컨텐츠

주소: 서울특별시 금천구 서부샛길 632, 7층(대륭테크노타운5차)

전화: 02-862-2220 　　　**팩스:** 02-862-2227

지원카페: cafe.naver.com/eduherocafe 　　　**인스타그램:** @edu__hero 　　　**카카오톡:** 에듀히어로

초등 수학 핵심파트 집중 완성 **교과특강**

수학을 잘 하기 위해서는 1) 수와 연산 2) 도형 3) 측정 4) 규칙성 5) 자료와 가능성 등 초등 수학 5대 학습 영역을 고르게 학습해야 합니다.

다른 교과 과목에 비해 많은 시간을 수학을 학습하는 데 할애하고 있지만 아쉽게도 대부분은 연산 영역에 편중되어 있습니다.

최근 들어 '도형' 등 연산 이외의 다른 영역으로 학습을 확장하는 교재들이 출간되고 있지만 여전히 학년별로 다양한 학습 영역과 필수 주제를 체계적으로 안내해 주는 학습지는 많지 않은 것이 현실입니다.

그런 이유로 교과특강은 학년별 필수 주제를 기본 개념부터 응용, 사고력까지 충분하게 학습하고 훈련할 수 있도록 개발되었습니다

수학을 잘 하고 싶은 학생들에게 노력한 만큼의 성장을 이루어내는 데 교과특강은 좋은 토양과 밑거름이 되어줄 것입니다.

초등 수학 핵심파트 집중 완성 **교과특강**은

1. '자료 해석 능력'을 집중적으로 키웁니다.

앞으로의 학습은 주어진 표와 그래프를 보고 그 의미를 해석하고 추론하는 '자료 해석 능력'을 요구합니다. 실제로 초등 전학년 뿐만 아니라 중등 과정에서도 '자료 해석'은 학습자의 문제해결력을 확인하는 중요한 소재가 되고 있습니다. 다양한 표와 그래프를 이해하고 해석하는 학습은 초등 과정부터 미리 준비하고 집중적으로 훈련할 필요가 있습니다.

2. '측정', '규칙성' 등 필수 영역임에도 쉽게 지나칠 수 있는 주제를 체계적으로 학습합니다.

길이, 무게, 시간, 어림하기 등 초등 과정에서 쉽게 지나치기 쉬운 '측정'과 추론 능력을 길러주는 '규칙성'을 집중적으로 학습합니다.

3. 복습과 예습으로 학년과 학년 사이의 징검다리 역할을 합니다.

1학년에서 2학년, 2학년에서 3학년, 3학년에서 4학년 등 학년이 올라갈수록 특정 영역에서 수학이 갑자기 어려워지는 순간이 옵니다. 교과특강은 각 학년에서 반드시 짚고 넘어가야 하는 주제를 복습하면서 다음 학년을 위한 예습까지 할 수 있도록 개발되었습니다.

4. 문제해결력과 사고력을 길러줍니다.

기본적인 개념을 바탕으로 이를 응용하고 활용하는 문제해결력과 생각하는 힘을 길러줍니다.

초등 수학 핵심파트 집중 완성 **교과특강**은

7세부터 6학년까지 총 7단계 21권(단계별 3권)으로 구성되어 있으며 각 권은 하루에 1장씩 주 5회, 총 4주간 체계적으로 학습할 수 있습니다.

매주 5일차의 학습이 끝난 뒤엔 '생각더하기'를 통해 창의력과 사고력을 기르고, 4주의 학습이 끝난 뒤엔 '링크'와 '형성평가'로 관련 주제를 학습하고 교과 수학을 완성할 수 있습니다.

대 상	단 계	구 성
7세 ~ 1학년	P	P1, P2, P3
1학년	A	A1, A2, A3
2학년	B	B1, B2, B3
3학년	C	C1, C2, C3
4학년	D	D1, D2, D3
5학년	E	E1, E2, E3
6학년	F	F1, F2, F3

〈교과 수학 시리즈 C단계 로드맵〉

에듀히어로의 교과 수학 시리즈를 체계적으로 학습하기 위한 로드맵입니다.

예습을 하며 집중적으로 학습하려면 '영역별 집중 학습'을,

교과서 진도에 맞추어 학습하려면 '교과 진도 맞춤 학습'을 권장드립니다.

[영역별 집중 학습]

1월	2월	3월	4월	5월	6월
교과연산 C0 / 교과도형 C1	교과연산 / 교과도형 C2	교과연산 C1 / 교과도형 C3	교과연산 / 교과특강 C1	교과특강 C2	교과특강 C3

[교과 진도 맞춤 학습]

1월	2월	3월	4월	5월	6월	7월	8월	9월	10월
교과연산 C0	교과도형 C1	교과연산 C1	교과도형 C2	교과연산 C2	교과특강 C1	교과연산	교과도형 C3	교과특강 C2	교과특강 C3

교과특강은 교과 수학을 완성합니다.

주제별 학습

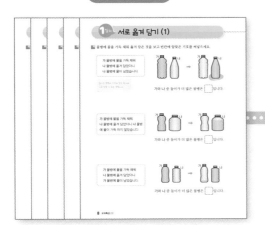

생각더하기

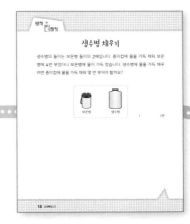

초등 수학을 주제별로 집중 학습합니다. 각 주차의 마지막에 있는 **생각더하기**로 문제해결력을 기릅니다.

링크

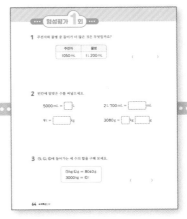

형성평가

주제별 학습과 연결하여 사고력과 창의력을 향상시킬 수 있는 내용을 학습합니다.

2회의 형성평가로 배운 내용을 잘 알고 있는지 확인합니다.

이 책의 차례

1 주차 들이 비교

📘 물병에 물을 가득 채워 옮겨 담은 것을 보고 빈칸에 알맞은 기호를 써넣으세요.

> **가** 물병에 물을 가득 채워
> **나** 물병에 옮겨 담았더니
> **나** 물병에 물이 넘쳤습니다.

들이는 물병과 주전자 같은 용기에
가득 담을 수 있는 양입니다.

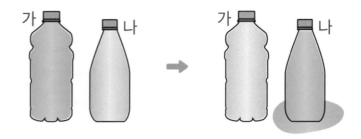

가와 **나** 중 들이가 더 많은 물병은 ☐ 입니다.

> **가** 물병에 물을 가득 채워
> **나** 물병에 옮겨 담았더니 **나** 물병
> 에 물이 가득 차지 않았습니다.

가와 **나** 중 들이가 더 많은 물병은 ☐ 입니다.

> **가** 물병에 물을 가득 채워
> **나** 물병에 옮겨 담았더니
> **가** 물병에 물이 남았습니다.

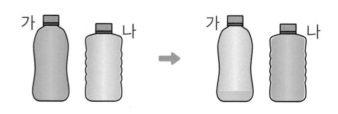

가와 **나** 중 들이가 더 많은 물병은 ☐ 입니다.

들이가 더 많은 것에 ◯표 하세요.

비커에 물을 가득 채운 뒤 음료수병에 옮겨 담았더니 비커에 물이 남았습니다.

(비커 , 음료수병)

세숫대야에 물을 가득 채운 뒤 항아리에 옮겨 담았더니 항아리에 물이 가득 차지 않았습니다.

(세숫대야 , 항아리)

꽃병에 물을 가득 채운 뒤 그릇에 옮겨 담았더니 그릇에 물이 넘쳤습니다.

(꽃병 , 그릇)

주전자에 물을 가득 채운 뒤 양동이에 옮겨 담았더니 양동이에 물이 가득 차지 않았습니다.

(주전자 , 양동이)

주스병에 물을 가득 채운 뒤 물병에 옮겨 담았더니 주스병에 물이 남았습니다.

(주스병 , 물병)

📋 설명을 보고 들이가 가장 많은 것부터 순서대로 I, 2, 3을 써 보세요.

• 우유갑은 종이컵보다 들이가 더 많습니다.
• 유리컵에 물을 가득 채운 뒤 우유갑에 옮겨 담았더니 우유갑에 물이 넘쳤습니다.

종이컵 [ ]

우유갑 [ ]

유리컵 [ ]

• 보온병에 물을 가득 채운 뒤 주스병에 옮겨 담았더니 보온병에 물이 남았습니다.
• 주스병에 물을 가득 채운 뒤 비커에 옮겨 담았더니 주스병에 물이 남았습니다.

보온병 [ ]

주스병 [ ]

비커 [ ]

• 어항에 물을 가득 채운 뒤 생수통에 옮겨 담았더니 생수통에 물이 가득 차지 않았습니다.
• 어항에 물을 가득 채운 뒤 양동이에 옮겨 담았더니 양동이에 물이 넘쳤습니다.

어항 [ ]

생수통 [ ]

양동이 [ ]

설명을 보고 컵의 들이에 맞게 빈칸에 알맞은 기호를 써넣으세요.

> • **가** 컵에 물을 가득 채워 **다** 컵에 옮겨 담았더니 **다** 컵에 물이 가득 차지 않았습니다.
> • **가** 컵은 **나** 컵보다 들이가 더 많습니다.

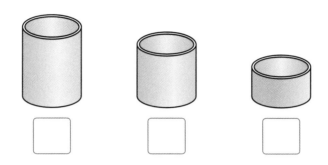

> • **가** 컵에 물을 가득 채워 **나** 컵에 옮겨 담았더니 **나** 컵에 물이 가득 차지 않았습니다.
> • **다** 컵에 물을 가득 채워 **나** 컵에 옮겨 담았더니 **나** 컵에 물이 넘쳤습니다.

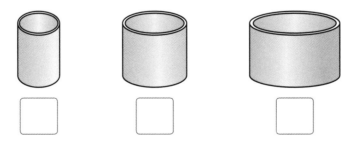

용기에 물을 가득 채운 뒤 모양과 크기가 같은 수조에 옮겨 담았습니다. 알맞은 말에
○표 하세요.

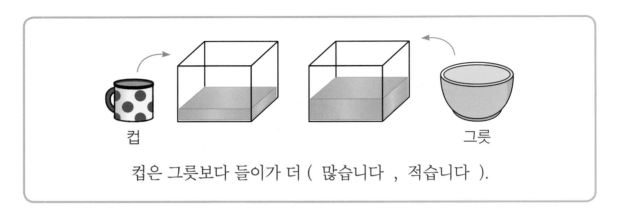

컵은 그릇보다 들이가 더 (많습니다 , 적습니다).

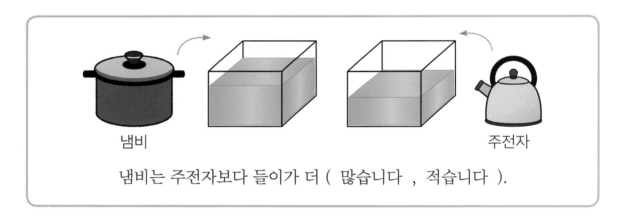

냄비는 주전자보다 들이가 더 (많습니다 , 적습니다).

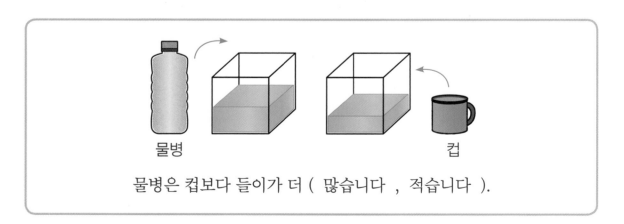

물병은 컵보다 들이가 더 (많습니다 , 적습니다).

물병에 물을 가득 채운 뒤 모양과 크기가 같은 수조에 옮겨 담았습니다. 들이가 가장 적은 물병부터 순서대로 I, 2, 3을 써 보세요.

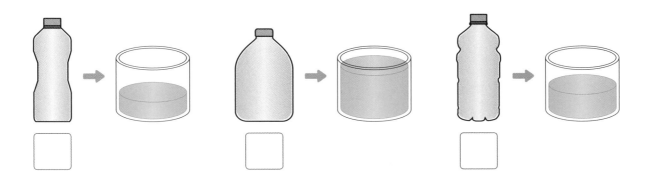

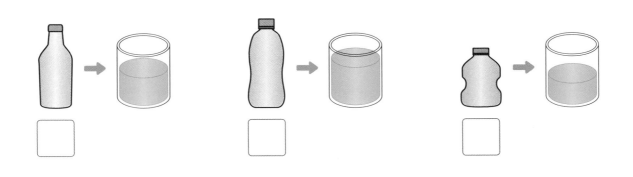

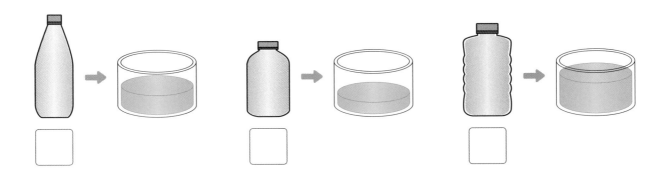

📖 물병에 물을 가득 채운 뒤 모양과 크기가 같은 작은 컵에 모두 옮겨 담았습니다. 빈칸에 알맞은 수 또는 기호를 써넣으세요.

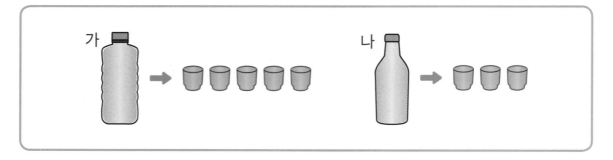

가 물병은 컵 [ ]개만큼, 나 물병은 컵 [ ]개만큼 물이 들어갑니다.

가 물병은 나 물병보다 컵 [ ]개만큼 들이가 더 많습니다.

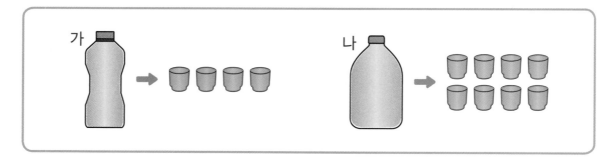

가 물병은 컵 [ ]개만큼, 나 물병은 컵 [ ]개만큼 물이 들어갑니다.

[ ] 물병은 [ ] 물병보다 컵 [ ]개만큼 들이가 더 많습니다.

■ 물음에 답하세요.

물병과 주스병에 물을 가득 채운 뒤 모양과 크기가 같은 컵에 모두 옮겨 담았더니 물병은 컵 **8**개, 주스병은 컵 **7**개만큼 물이 들어갔습니다. 물병과 주스병 중 들이가 더 많은 것은 무엇일까요?

(   )

주전자, 꽃병, 그릇에 물을 가득 채운 뒤 모양과 크기가 같은 컵에 모두 옮겨 담았습니다. 주전자, 꽃병, 그릇 중 들이가 가장 적은 것은 무엇일까요?

용기	주전자	꽃병	그릇
컵	7번	5번	3번

(   )

주전자와 그릇에 물을 가득 채운 뒤 모양과 크기가 같은 컵에 모두 옮겨 담았습니다. 주전자의 들이는 그릇의 들이의 몇 배일까요?

주전자   그릇

(   )배

📗 물병에 물을 가득 채우려면 **가, 나, 다** 컵에 물을 가득 채운 뒤 각각 그림과 같이 부어야 합니다. 빈칸에 알맞은 수 또는 기호를 써넣으세요.

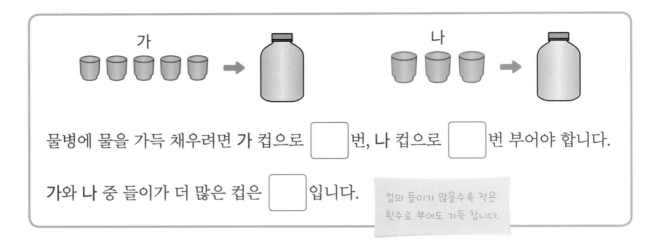

물병에 물을 가득 채우려면 **가** 컵으로 ☐ 번, **나** 컵으로 ☐ 번 부어야 합니다.

가와 **나** 중 들이가 더 많은 컵은 ☐ 입니다.

> 컵의 들이가 많을수록 적은 횟수로 부어도 가득 찹니다.

가와 **나** 중 들이가 더 많은 컵은 ☐ 입니다.

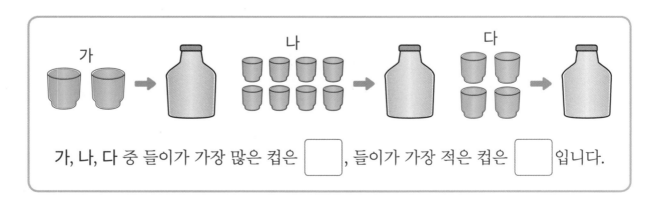

가, 나, 다 중 들이가 가장 많은 컵은 ☐ , 들이가 가장 적은 컵은 ☐ 입니다.

냄비에 물을 가득 채우려면 **가**, **나**, **다** 컵에 물을 가득 채워 각각 다음과 같은 횟수만큼 부어야 합니다. 물음에 답하세요.

컵	가	나	다
부은 횟수(번)	6	3	9

들이가 가장 많은 컵은 무엇인가요?   (   )컵

들이가 가장 적은 컵은 무엇인가요?   (   )컵

나 컵의 들이는 **가** 컵의 들이의 몇 배인가요?   (   )배

나 컵의 들이는 **다** 컵의 들이의 몇 배인가요?   (   )배

생수병 채우기

생수병의 들이는 보온병 들이의 **2**배입니다. 종이컵에 물을 가득 채워 보온병에 **4**번 부었더니 보온병에 물이 가득 찼습니다. 생수병에 물을 가득 채우려면 종이컵에 물을 가득 채워 몇 번 부어야 할까요?

보온병   생수병

(   )번

2주차

들이의 단위

주어진 들이를 쓰고 읽어 보세요.

600 mL   쓰기 _____   읽기 _____

3 L   쓰기 _____   읽기 _____

1 L 200 mL   쓰기 _____

읽기 _____

들이의 단위에는 밀리리터와 리터 등이 있습니다.
1 밀리리터는 한 변이 1 cm인 그릇에 담을 수 있는 양으로
1 mL라 쓰고 1 밀리리터라고 읽습니다.

쓰기 1 mL   읽기 1 밀리리터

1 리터는 한 변이 10 cm인 그릇에 담을 수 있는 양으로
1 L라 쓰고 1 리터라고 읽습니다.

쓰기 1 L   읽기 1 리터

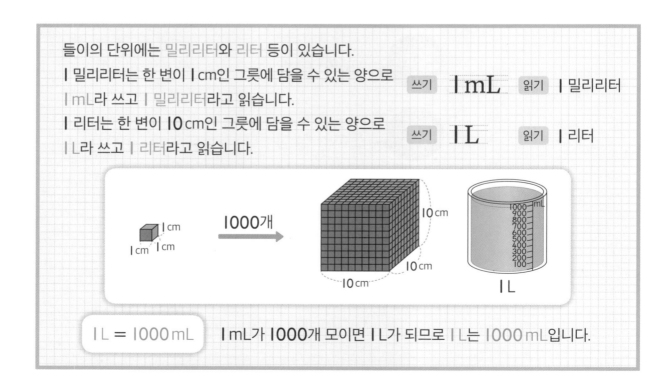

1 L = 1000 mL   1 mL가 1000개 모이면 1 L가 되므로 1 L는 1000 mL입니다.

눈금을 읽어 물의 양이 얼마인지 구해 보세요.

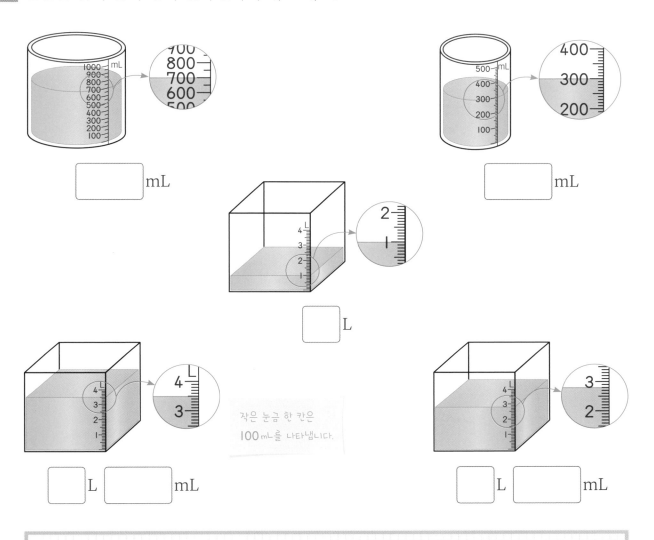

[_____] mL

[_____] mL

[_____] L

작은 눈금 한 칸은
100 mL를 나타냅니다.

[____] L [_____] mL

[____] L [_____] mL

1 L보다 500 mL 더 많은 들이를 1 L 500 mL라 쓰고 1 리터 500 밀리리터라고 읽습니다.
1 L는 1000 mL와 같으므로 1 L 500 mL는 1500 mL입니다.

| 1 L 500 mL = 1500 mL | 쓰기 **1 L 500 mL** | 읽기 1 리터 500 밀리리터 |
| 1 L 50 mL = 1050 mL | 쓰기 **1 L 50 mL** | 읽기 1 리터 50 밀리리터 |

■ 빈칸에 알맞은 수를 써넣으세요.

$3 \text{ L} = \boxed{} \text{ mL}$

$6000 \text{ mL} = \boxed{} \text{ L}$

$9 \text{ L} = \boxed{} \text{ mL}$

$2000 \text{ mL} = \boxed{} \text{ L}$

$1 \text{ L } 400 \text{ mL} = \boxed{} \text{ mL}$

$3700 \text{ mL} = \boxed{} \text{ L } \boxed{} \text{ mL}$

$5 \text{ L } 800 \text{ mL} = \boxed{} \text{ mL}$

$8850 \text{ mL} = \boxed{} \text{ L } \boxed{} \text{ mL}$

$3 \text{ L } 150 \text{ mL} = \boxed{} \text{ mL}$

$7090 \text{ mL} = \boxed{} \text{ L } \boxed{} \text{ mL}$

$6 \text{ L } 30 \text{ mL} = \boxed{} \text{ mL}$

$1510 \text{ mL} = \boxed{} \text{ L } \boxed{} \text{ mL}$

$4 \text{ L } 990 \text{ mL} = \boxed{} \text{ mL}$

$5060 \text{ mL} = \boxed{} \text{ L } \boxed{} \text{ mL}$

들이가 많은 것부터 차례로 기호를 써 보세요.

⊙ 2 L   ⓒ 800 mL

ⓒ 3000 mL   ② 4 L

(,   ,   ,   )

⊙ 3500 mL   ⓒ 5 L 800 mL

ⓒ 5 L 100 mL   ② 2700 mL

(,   ,   ,   )

⊙ 2 L 800 mL   ⓒ 1900 mL

ⓒ 3 L   ② 2050 mL

(,   ,   ,   )

⊙ 9200 mL   ⓒ 9 L

ⓒ 8 L 90 mL   ② 8 L 900 mL

(,   ,   ,   )

⊙ 4 L 700 mL   ⓒ 7 L 350 mL

ⓒ 5000 mL   ② 7000 mL

(,   ,   ,   )

📖 빈칸에 알맞은 수를 써넣으세요.

$$
\begin{array}{r}
2\ \text{L}\quad 300\ \text{mL} \\
+\ 4\ \text{L}\quad 400\ \text{mL} \\
\hline
\boxed{}\ \text{L}\quad \boxed{}\ \text{mL}
\end{array}
$$

$$
\begin{array}{r}
7\ \text{L}\quad 450\ \text{mL} \\
+\ 3\ \text{L}\quad 50\ \text{mL} \\
\hline
\boxed{}\ \text{L}\quad \boxed{}\ \text{mL}
\end{array}
$$

$$
\begin{array}{r}
5\ \text{L}\quad 800\ \text{mL} \\
+\quad\quad 500\ \text{mL} \\
\hline
\boxed{}\ \text{L}\quad \boxed{}\ \text{mL}
\end{array}
$$

$$
\begin{array}{r}
3\ \text{L}\quad 700\ \text{mL} \\
+\ 4\ \text{L}\quad 700\ \text{mL} \\
\hline
\boxed{}\ \text{L}\quad \boxed{}\ \text{mL}
\end{array}
$$

$6\,\text{L} + 1\,\text{L}\,500\,\text{mL} = \boxed{}\,\text{L}\ \boxed{}\,\text{mL}$

$5\,\text{L}\,600\,\text{mL} + 2\,\text{L}\,400\,\text{mL} = \boxed{}\,\text{L}$

들이를 더할 때는 L 단위의 수끼리, mL 단위의 수끼리 더합니다.

$$
\begin{array}{r}
2\ \text{L}\quad 350\ \text{mL} \\
+\ 3\ \text{L}\quad 400\ \text{mL} \\
\hline
5\ \text{L}\quad 750\ \text{mL}
\end{array}
$$

2L 350 mL + 3L 400 mL
= 5L 750 mL

1000 mL는 1 L이므로 mL끼리 더해서 1000 mL가 되면 1 L로 바꿉니다.

$$
\begin{array}{r}
1\ \text{L}\quad 700\ \text{mL} \\
+\ 2\ \text{L}\quad 400\ \text{mL} \\
\hline
3\ \text{L}\ 1100\ \text{mL}
\end{array}
\Rightarrow
\begin{array}{r}
\overset{1}{}1\ \text{L}\quad 700\ \text{mL} \\
+\ 2\ \text{L}\quad 400\ \text{mL} \\
\hline
4\ \text{L}\quad 100\ \text{mL}
\end{array}
$$

◼ 물음에 답하세요.

간장이 2 L 300 mL 들어 있는 병과 1 L 500 mL 들어 있는 병이 있습니다.
두 병에 들어 있는 간장은 모두 몇 L 몇 mL일까요?

☐ L ☐ mL

물이 9 L 650 mL 들어 있는 어항에 물 800 mL를 더 부었습니다. 어항에
들어 있는 물은 모두 몇 L 몇 mL일까요?

☐ L ☐ mL

하루 동안 지예는 물을 1600 mL 마셨고 준수는 2 L 50 mL 마셨습니다.
지예와 준수가 마신 물은 모두 몇 L 몇 mL일까요?

☐ L ☐ mL

양동이에 찬물 3 L 500 mL와 더운물 2700 mL를 부었습니다. 양동이에
부은 물은 모두 몇 L 몇 mL일까요?

☐ L ☐ mL

■ 빈칸에 알맞은 수를 써넣으세요.

$$\begin{array}{r} 9 \ \text{L} \quad 600 \ \text{mL} \\ - \quad 2 \ \text{L} \quad 100 \ \text{mL} \\ \hline \boxed{} \ \text{L} \ \boxed{} \ \text{mL} \end{array}$$

$$\begin{array}{r} 5 \ \text{L} \quad 800 \ \text{mL} \\ - \qquad 200 \ \text{mL} \\ \hline \boxed{} \ \text{L} \ \boxed{} \ \text{mL} \end{array}$$

$$\begin{array}{r} 4 \ \text{L} \quad 350 \ \text{mL} \\ - \quad 2 \ \text{L} \quad 600 \ \text{mL} \\ \hline \boxed{} \ \text{L} \ \boxed{} \ \text{mL} \end{array}$$

$$\begin{array}{r} 6 \ \text{L} \\ - \quad 1 \ \text{L} \quad 300 \ \text{mL} \\ \hline \boxed{} \ \text{L} \ \boxed{} \ \text{mL} \end{array}$$

$7 \, \text{L} \; 550 \, \text{mL} - 4 \, \text{L} \; 200 \, \text{mL} = \boxed{} \text{L} \boxed{} \text{mL}$

$9 \, \text{L} - 700 \, \text{mL} = \boxed{} \text{L} \boxed{} \text{mL}$

들이를 뺄 때는 L 단위의 수끼리, mL 단위의 수끼리 뺍니다.

$$\begin{array}{r} 3 \ \text{L} \quad 850 \ \text{mL} \\ - \quad 2 \ \text{L} \quad 600 \ \text{mL} \\ \hline 1 \ \text{L} \quad 250 \ \text{mL} \end{array}$$

$3 \, \text{L} \, 850 \, \text{mL} - 2 \, \text{L} \, 600 \, \text{mL}$
$= 1 \, \text{L} \, 250 \, \text{mL}$

mL끼리 뺄 수 없으면 1 L를 1000 mL로 바꿉니다.
(1 L를 받아내림 하여 1100 mL 에서 300 mL를 뺍니다.)

$$\begin{array}{r} 5 \ \text{L} \quad 100 \ \text{mL} \\ - \quad 1 \ \text{L} \quad 300 \ \text{mL} \\ \hline \ \text{L} \qquad \text{mL} \end{array} \quad \Rightarrow \quad \begin{array}{r} \overset{4}{5} \ \text{L} \quad \overset{1000}{100} \ \text{mL} \\ - \quad 1 \ \text{L} \quad 300 \ \text{mL} \\ \hline 3 \ \text{L} \quad 800 \ \text{mL} \end{array}$$

■ 물음에 답하세요.

물병에 물이 1 L 700 mL 들어 있습니다. 그중 450 mL를 마셨다면 남은 물은 몇 L 몇 mL일까요?

⬚ L ⬚ mL

승주는 2 L 300 mL짜리 우유를 샀고 진영이는 900 mL짜리 우유를 샀습니다. 승주는 진영이보다 우유를 몇 L 몇 mL 더 많이 샀을까요?

⬚ L ⬚ mL

들이가 7 L 800 mL인 페인트 통에 페인트가 가득 들어 있습니다. 그중 벽을 칠하는 데 3300 mL를 썼다면 남은 페인트는 몇 L 몇 mL일까요?

⬚ L ⬚ mL

들이가 6 L인 빈 수조에 물 1200 mL를 부었습니다. 수조를 가득 채우려면 물을 몇 L 몇 mL 더 부어야 할까요?

⬚ L ⬚ mL

📖 물음에 답하세요.

물이 1 L 300 mL 들어 있는 냄비에 물을 800 mL만큼 2번 부었더니 냄비에 물이 가득 찼습니다. 냄비의 들이는 몇 L 몇 mL일까요?

1 L 300 mL   800 mL   800 mL

☐ L ☐ mL

들이가 2 L인 물병에 물이 가득 들어 있습니다. 이 물을 들이가 650 mL인 컵 2개에 가득 부었습니다. 물병에 남은 물은 몇 mL일까요?

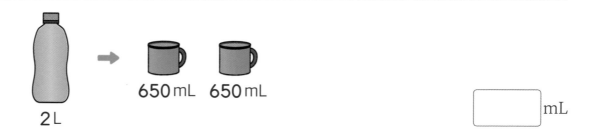

2 L   650 mL   650 mL

☐ mL

우유가 1 L 500 mL 있습니다. 그중 민준이가 400 mL 마시고 세운이가 250 mL 마셨습니다. 남은 우유는 몇 mL일까요?

☐ mL

■ 물음에 답하세요.

민하는 1 L 500 mL짜리 주스를 1병 샀고 승재는 850 mL짜리 주스를 2병 샀습니다. 누가 주스를 몇 mL만큼 더 많이 샀을까요?

민하   승재

└─────────┘ 가 주스를 └─────────┘ mL만큼 더 많이 샀습니다.

주호와 예서가 서로 다른 물병의 물을 마셨습니다. 주호와 예서가 마신 물은 모두 몇 L 몇 mL일까요?

	주호	예서
물병에 들어 있었던 물의 양	900 mL	1 L 300 mL
마신 후 물병에 남은 물의 양	300 mL	800 mL

주호와 예서가 마신 물은 모두 □ L □ mL입니다.

2L 만들기

들이가 2 L인 물병에 물이 가득 들어 있습니다. 이 물을 모두 옮겨 담아 빈 병 3개에 가득 채우려고 합니다. 주어진 5개의 빈 병 중 필요한 병 3개에 각각 ◯표 하세요.

2L

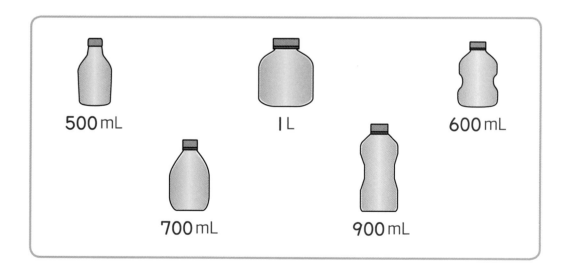

500 mL

1 L

600 mL

700 mL

900 mL

3 주차

무게 비교

1일차 저울 이용하기

저울을 이용하여 무게를 비교하였습니다. 가장 무거운 것부터 차례로 써 보세요.

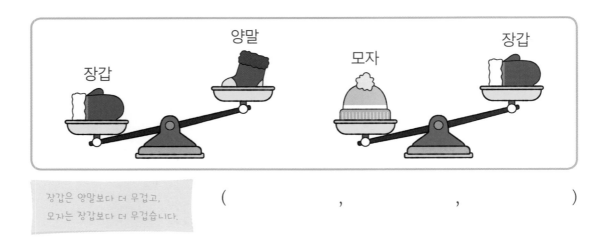

장갑은 양말보다 더 무겁고,
모자는 장갑보다 더 무겁습니다.

(,   ,   )

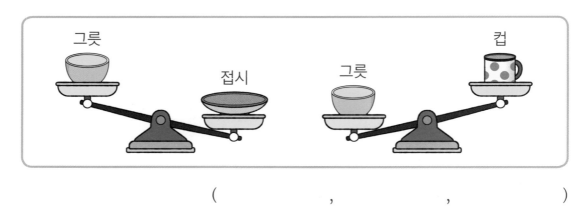

(,   ,   )

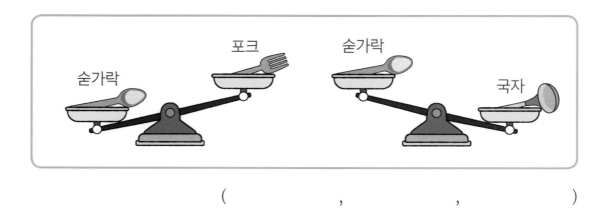

(,   ,   )

저울을 이용하여 무게를 비교하였습니다. 가장 무거운 것에 ◯표, 가장 가벼운 것에 △표 하세요.

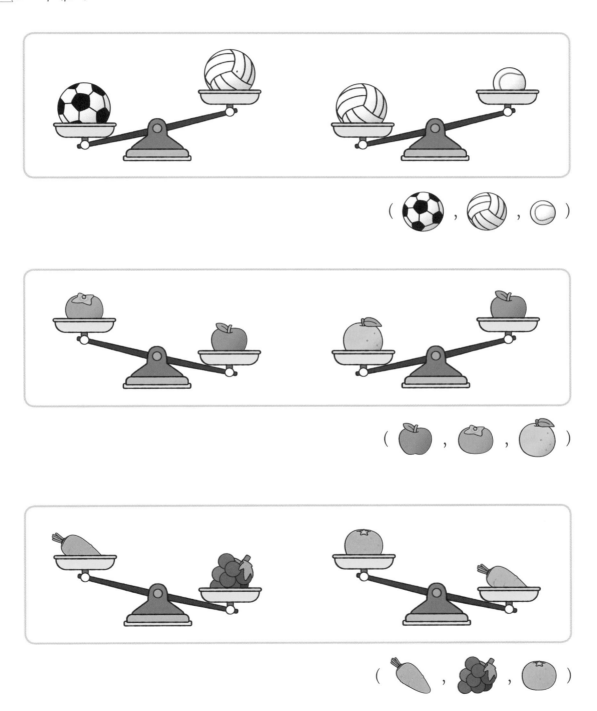

당근, 감, 귤의 무게를 비교하고 있습니다. 빈칸에 알맞은 수 또는 말을 써넣으세요.

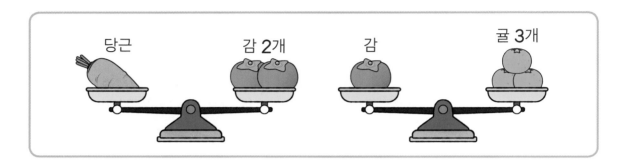

당근 1개는 감 ☐ 개의 무게와 같습니다.

감 1개를 빼면 저울은
당근쪽이 내려갑니다.

당근과 감 중 한 개의 무게가 더 무거운 것은 ☐ 입니다.

감 1개는 귤 ☐ 개의 무게와 같습니다.

감과 귤 중 한 개의 무게가 더 무거운 것은 ☐ 입니다.

저울이 어느쪽으로도 내려가지 않으면 양쪽의 무게가 같고, 이러한 상태를 수평이라고 합니다.

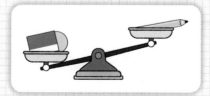

지우개를 놓은 쪽이 내려갔으므로
지우개는 연필보다 더 무겁습니다.

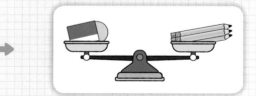

저울이 어느쪽으로도 내려가지 않았으므로
지우개 1개와 연필 3자루의 무게가 같습니다.

■ 물음에 답하세요.

포도, 복숭아, 딸기의 무게를 비교하고 있습니다. 포도, 복숭아, 딸기 중 한 개의 무게가 가장 무거운 것부터 차례로 써 보세요.

(,   ,   )

감, 가지, 배의 무게를 비교하고 있습니다. 감, 가지, 배 중 한 개의 무게가 가장 가벼운 것부터 차례로 써 보세요.

(,   ,   )

바둑돌을 이용하여 무게를 재었습니다. 빈칸에 알맞은 수를 써넣고 알맞은 말에 ◯표 하세요.

색연필은 바둑돌 ☐ 개, 풀은 바둑돌 ☐ 개의 무게와 같습니다.

색연필과 풀 중 더 무거운 것은 (색연필 , 풀)입니다.

달걀은 바둑돌 ☐ 개, 빵은 바둑돌 ☐ 개의 무게와 같습니다.

달걀과 빵 중 더 무거운 것은 (달걀 , 빵)입니다.

■ 물음에 답하세요.

수첩은 바둑돌 15개, 필통은 바둑돌 10개의 무게와 같습니다. 수첩과 필통 중 더 무거운 것은 무엇일까요?

( )

감자는 공깃돌 22개, 양파는 공깃돌 18개의 무게와 같습니다. 감자와 양파 중 더 가벼운 것은 무엇일까요?

( )

자는 클립 8개, 붓은 클립 16개, 연필은 클립 12개의 무게와 같습니다. 자, 붓, 연필 중 가장 무거운 것부터 차례로 써 보세요.

(, ,)

토마토는 구슬 20개, 키위는 구슬 9개, 레몬은 구슬 13개의 무게와 같습니다. 토마토, 키위, 레몬 중 가장 가벼운 것부터 차례로 써 보세요.

(, ,)

4일차 무게 비교 (2)

■ 바둑돌을 이용하여 무게를 재었습니다. 빈칸에 알맞은 수 또는 말을 써넣으세요.

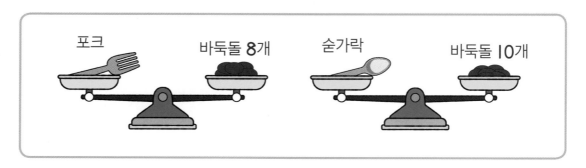

숟가락은 포크보다 바둑돌 ☐ 개만큼 더 무겁습니다.

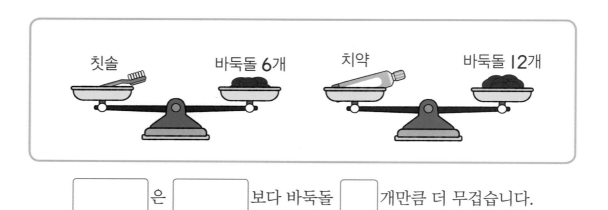

☐ 은 ☐ 보다 바둑돌 ☐ 개만큼 더 무겁습니다.

☐ 는 ☐ 보다 바둑돌 ☐ 개만큼 더 무겁습니다.

■ 물음에 답하세요.

사과와 감은 각각 100원짜리 동전 몇 개와 무게가 같은가요?

사과: ☐ 개, 감: ☐ 개

사과와 감의 무게를 비교하여 보세요.

☐ 는 ☐ 보다 100원짜리 동전 ☐ 개만큼 더 무겁습니다.

감과 당근의 무게에 대한 설명으로 알맞은 말에 ◯표 하세요.

감과 당근의 무게는 서로 (같습니다 , 다릅니다).

작은 단위 비교

한 개의 무게가 더 무거운 것에 ◯표 하세요.

(바둑돌 , 쌀기나무)

(100원짜리 동전 , 단추)

똑같은 물건의 무게를 서로 다른 단위로 재었을 때 더 적은 개수를 사용한 단위가 더 많은 개수를 사용한 단위보다 더 무겁습니다.

바둑돌은 클립보다
한 개의 무게가 더 무겁습니다.

필통과 공책의 무게를 구슬과 바둑돌로 각각 재었습니다. 물음에 답하세요.

	필통	공책
구슬	18개	24개
바둑돌	36개	48개

필통과 공책 중 무엇이 구슬 몇 개만큼 더 무거운가요?

☐ 은 ☐ 보다 구슬 ☐ 개만큼 더 무겁습니다.

필통과 공책 중 무엇이 바둑돌 몇 개만큼 더 가벼운가요?

☐ 은 ☐ 보다 바둑돌 ☐ 개만큼 더 가볍습니다.

구슬과 바둑돌 중 한 개의 무게가 더 무거운 것은 무엇인가요?

(   )

바꾸어 놓기

포도, 사과, 바나나의 무게를 비교하였더니 포도 l송이는 사과 2개, 사과 l개 는 바나나 2개의 무게와 같았습니다. 포도 l송이는 바나나 몇 개의 무게와 같은지 빈칸에 알맞은 수를 써넣으세요.

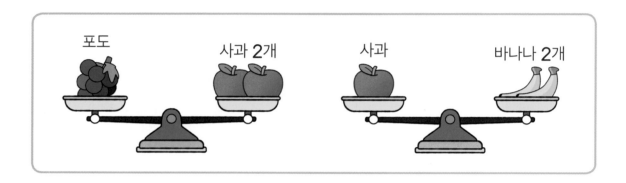

사과 l개는 바나나 ☐개의 무게와 같으므로

왼쪽 저울에서 사과 l개씩을 각각 바나나 2개로 바꾸어 놓으면

포도 l송이는 바나나 ☐개의 무게와 같습니다.

4 주차 무게의 단위

주어진 무게를 쓰고 읽어 보세요.

5 kg   쓰기 _____   읽기 _____

1 kg 800 g   쓰기 _____

읽기 _____

7 t   쓰기 _____   읽기 _____

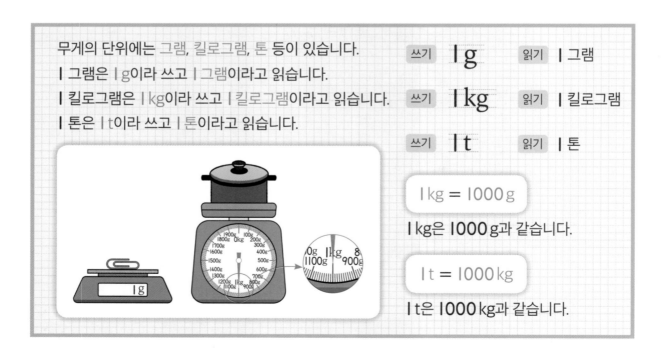

무게의 단위에는 그램, 킬로그램, 톤 등이 있습니다.
1 그램은 1 g이라 쓰고 1 그램이라고 읽습니다.
1 킬로그램은 1 kg이라 쓰고 1 킬로그램이라고 읽습니다.
1 톤은 1 t이라 쓰고 1 톤이라고 읽습니다.

쓰기 **1g**   읽기 1 그램

쓰기 **1kg**   읽기 1 킬로그램

쓰기 **1t**   읽기 1 톤

1 kg = 1000 g

1 kg은 1000 g과 같습니다.

1 t = 1000 kg

1 t은 1000 kg과 같습니다.

■ 저울의 눈금을 읽어 무게를 나타내어 보세요.

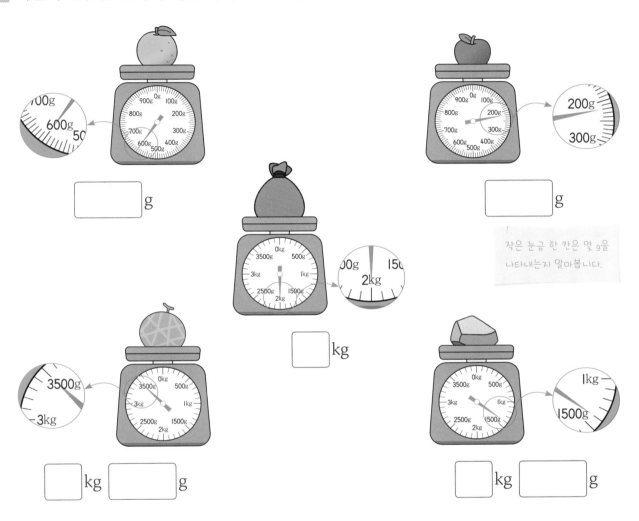

[   ] g

[   ] g

작은 눈금 한 칸은 몇 g을 나타내는지 알아봅니다.

[   ] kg

[   ] kg [   ] g

[   ] kg [   ] g

1 kg보다 300 g 더 무거운 무게를 1 kg 300 g이라 쓰고 1 킬로그램 300 그램이라고 읽습니다. 1 kg은 1000 g과 같으므로 1 kg 300 g은 1300 g입니다.		
1 kg 300 g = 1300 g	쓰기 **1 kg 300 g**	읽기 1 킬로그램 300 그램
1 kg 30 g = 1030 g	쓰기 **1 kg 30 g**	읽기 1 킬로그램 30 그램

■ 빈칸에 알맞은 수를 써넣으세요.

4 kg = ☐ g

2000 g = ☐ kg

8 kg = ☐ g

7000 g = ☐ kg

1 kg 300 g = ☐ g

4900 g = ☐ kg ☐ g

5 kg 150 g = ☐ g

9050 g = ☐ kg ☐ g

2 kg 80 g = ☐ g

5001 g = ☐ kg ☐ g

2 t = ☐ kg

1000 kg = ☐ t

9 t = ☐ kg

4000 kg = ☐ t

■ 무게가 가벼운 것부터 차례로 기호를 써 보세요.

㉠ 300 g ㉡ l kg
㉢ 3 kg ㉣ 900 g

(, , ,)

㉠ 5 kg ㉡ 5100 g
㉢ 5 kg 400 g ㉣ 5800 g

(, , ,)

㉠ 1050 g ㉡ l kg 500 g
㉢ 1005 g ㉣ l kg 550 g

(, , ,)

㉠ 400 kg ㉡ 4 t
㉢ 4 kg ㉣ 400 g

(, , ,)

㉠ 6100 g ㉡ 6 kg 90 g
㉢ 6 t ㉣ 6 kg 200 g

(, , ,)

빈칸에 알맞은 수를 써넣으세요.

$$
\begin{array}{r}
2 \ \text{kg} \quad 300 \ \text{g} \\
+ \ 6 \ \text{kg} \quad 100 \ \text{g} \\
\hline
\boxed{} \ \text{kg} \ \boxed{} \ \text{g}
\end{array}
$$

$$
\begin{array}{r}
5 \ \text{kg} \\
+ \ 2 \ \text{kg} \quad 600 \ \text{g} \\
\hline
\boxed{} \ \text{kg} \ \boxed{} \ \text{g}
\end{array}
$$

$$
\begin{array}{r}
1 \ \text{kg} \quad 800 \ \text{g} \\
+ \ 1 \ \text{kg} \quad 400 \ \text{g} \\
\hline
\boxed{} \ \text{kg} \ \boxed{} \ \text{g}
\end{array}
$$

$$
\begin{array}{r}
3 \ \text{kg} \quad 200 \ \text{g} \\
+ \quad\quad\quad 900 \ \text{g} \\
\hline
\boxed{} \ \text{kg} \ \boxed{} \ \text{g}
\end{array}
$$

$2 \ \text{kg} \ 300 \ \text{g} + 3 \ \text{kg} \ 400 \ \text{g} = \boxed{} \ \text{kg} \ \boxed{} \ \text{g}$

$5 \ \text{kg} \ 800 \ \text{g} + 500 \ \text{g} = \boxed{} \ \text{kg} \ \boxed{} \ \text{g}$

무게를 더할 때는 kg 단위의 수끼리, g 단위의 수끼리 더합니다.

$$
\begin{array}{r}
1 \ \text{kg} \quad 500 \ \text{g} \\
+ \ 2 \ \text{kg} \quad 150 \ \text{g} \\
\hline
3 \ \text{kg} \quad 650 \ \text{g}
\end{array}
$$

$1 \ \text{kg} \ 500 \ \text{g} + 2 \ \text{kg} \ 150 \ \text{g}$
$= 3 \ \text{kg} \ 650 \ \text{g}$

1000g은 1kg이므로 g끼리 더해서 1000g이 되면 1kg로 바꿉니다.

$$
\begin{array}{r}
2 \ \text{kg} \quad 700 \ \text{g} \\
+ \ 3 \ \text{kg} \quad 500 \ \text{g} \\
\hline
5 \ \text{kg} \quad 1200 \ \text{g}
\end{array}
\Rightarrow
\begin{array}{r}
{\scriptstyle 1} \\
2 \ \text{kg} \quad 700 \ \text{g} \\
+ \ 3 \ \text{kg} \quad 500 \ \text{g} \\
\hline
6 \ \text{kg} \quad 200 \ \text{g}
\end{array}
$$

■ 물음에 답하세요.

감자를 어제는 **6 kg 200 g** 캤고 오늘은 **5 kg 600 g** 캤습니다. 어제와 오늘 캔 감자의 무게는 모두 몇 kg 몇 g일까요?

☐ kg ☐ g

그릇에 쌀 **3 kg 500 g**과 보리 **800 g**을 섞었습니다. 쌀과 보리의 무게는 모두 몇 kg 몇 g일까요?

☐ kg ☐ g

현서네 가족은 소고기 **1500 g**과 돼지고기 **1 kg 400 g**을 샀습니다. 현서네 가족이 산 고기의 무게는 모두 몇 kg 몇 g일까요?

☐ kg ☐ g

준수는 무게가 **1 kg 900 g**인 상자와 **2450 g**인 상자를 옮기고 있습니다. 준수가 옮기고 있는 상자의 무게는 모두 몇 kg 몇 g일까요?

☐ kg ☐ g

■ 빈칸에 알맞은 수를 써넣으세요.

$$
\begin{array}{r}
5 \ \text{kg} \quad 800 \ \text{g} \\
- \ 1 \ \text{kg} \quad 300 \ \text{g} \\
\hline
\boxed{} \ \text{kg} \quad \boxed{} \ \text{g}
\end{array}
$$

$$
\begin{array}{r}
9 \ \text{kg} \quad 600 \ \text{g} \\
- \ 4 \ \text{kg} \quad 50 \ \text{g} \\
\hline
\boxed{} \ \text{kg} \quad \boxed{} \ \text{g}
\end{array}
$$

$$
\begin{array}{r}
7 \ \text{kg} \quad \\
- \ 2 \ \text{kg} \quad 200 \ \text{g} \\
\hline
\boxed{} \ \text{kg} \quad \boxed{} \ \text{g}
\end{array}
$$

$$
\begin{array}{r}
8 \ \text{kg} \quad 100 \ \text{g} \\
- \ 5 \ \text{kg} \quad 500 \ \text{g} \\
\hline
\boxed{} \ \text{kg} \quad \boxed{} \ \text{g}
\end{array}
$$

$3\,\text{kg}\ 900\,\text{g} - 800\,\text{g} = \boxed{}\ \text{kg}\ \boxed{}\ \text{g}$

$4\,\text{kg}\ 200\,\text{g} - 1\,\text{kg}\ 400\,\text{g} = \boxed{}\ \text{kg}\ \boxed{}\ \text{g}$

무게를 뺄 때는 kg 단위의 수끼리, g 단위의 수끼리 뺍니다.

$$
\begin{array}{r}
3 \ \text{kg} \quad 800 \ \text{g} \\
- \ 2 \ \text{kg} \quad 300 \ \text{g} \\
\hline
1 \ \text{kg} \quad 500 \ \text{g}
\end{array}
$$

$3\,\text{kg}\ 800\,\text{g} - 2\,\text{kg}\ 300\,\text{g}$
$= 1\,\text{kg}\ 500\,\text{g}$

g끼리 뺄 수 없으면 1kg을 1000g으로 바꿉니다.
(1kg을 받아내림 하여 1200g 에서 300g을 뺍니다.)

$$
\begin{array}{r}
7 \ \text{kg} \quad 200 \ \text{g} \\
- \ 4 \ \text{kg} \quad 300 \ \text{g} \\
\hline
 \ \text{kg} \quad \ \text{g}
\end{array}
\Rightarrow
\begin{array}{r}
\overset{6}{\cancel{7}} \ \text{kg} \quad \overset{1000}{200} \ \text{g} \\
- \ 4 \ \text{kg} \quad 300 \ \text{g} \\
\hline
2 \ \text{kg} \quad 900 \ \text{g}
\end{array}
$$

■ 물음에 답하세요.

강아지의 무게는 6 kg 750 g, 고양이의 무게는 3 kg 300 g입니다. 강아지는 고양이보다 몇 kg 몇 g 더 무거울까요?

☐ kg ☐ g

멜론을 넣은 바구니의 무게는 3 kg 600 g이고 멜론을 뺀 빈 바구니의 무게는 700 g입니다. 멜론의 무게는 몇 kg 몇 g일까요?

☐ kg ☐ g

준희의 책가방 무게는 3 kg 900 g이고 재현이의 책가방 무게는 3200 g입니다. 준희의 책가방이 재현이의 책가방보다 몇 g 더 무거울까요?

☐ g

설탕 5 kg이 있습니다. 그중 잼을 만드는 데 1250 g을 사용했습니다. 남은 설탕의 무게는 몇 kg 몇 g일까요?

☐ kg ☐ g

그림을 보고 물음에 답하세요.

포도의 무게는 몇 g인가요? [ ] g

수박의 무게는 몇 kg 몇 g인가요? [ ] kg [ ] g

빈 바구니에 수박만 담았다면 수박을 담은 바구니의 무게는 몇 kg 몇 g인가요? [ ] kg [ ] g

5kg까지 담을 수 있는 주머니와 4가지 상품이 있습니다. 물음에 답하세요.

담을 수 있는 무게: 5kg

멜론	생수	돼지고기	세탁 세제
3500g	1kg 800g	900g	2kg 300g

가장 무거운 상품과 가장 가벼운 상품의 무게를 더하면 몇 kg 몇 g인가요?

☐ kg ☐ g

주머니에 생수를 담았습니다. 주머니에 더 담을 수 있는 무게는 몇 kg 몇 g인가요?

☐ kg ☐ g

주머니에 돼지고기와 세탁 세제를 담았습니다. 주머니에 더 담을 수 있는 무게는 몇 g인가요?

☐ kg ☐ g

주머니에 상품 3가지를 담아 정확히 5kg이 되도록 만듭니다. 담을 수 없는 것은 무엇인가요?

( )

상자의 무게

색깔이 같은 상자끼리 무게가 같습니다. 그림을 보고 색깔별로 상자의 무게를 각각 구해 보세요.

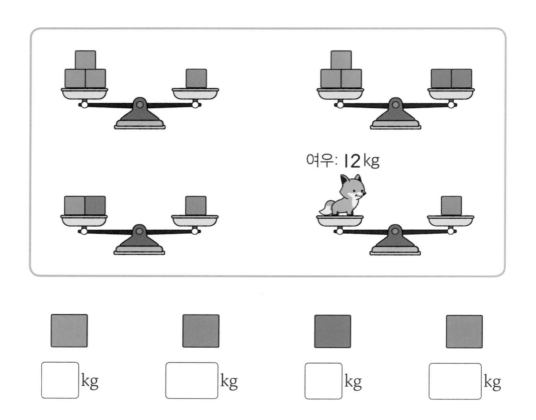

☐ kg	☐ kg	☐ kg	☐ kg

···링크 어림하기

들이와 무게의 단위

◻ 설명에 맞는 것에 모두 ◯표 하세요.

| 들이가 5 L보다 더 많은 것 | 욕조   종이컵
음료수 캔   냉장고 |

들이가 5 L보다 더 많은 것 .....

욕조　　　　종이컵

음료수 캔　　　냉장고

들이가 100 mL 보다 더 적은 것 .....

냄비　　　　숟가락

주사기　　　세숫대야

무게가 1 t보다 더 무거운 것 .....

강아지 1마리　　자전거 1대

비행기 1대　　　버스 1대

무게가 1 kg보다 더 가벼운 것 .....

귤 1개　　　피아노 1대

연필 1자루　　세탁기 1대

■ 단위를 바르게 사용한 말에 ○표, 잘못 사용한 말에 ×표 하세요.

요구르트 병의 들이는 약 100 mL입니다. ⋯⋯⋯⋯⋯⋯ (   )

양동이의 들이는 약 5 L입니다. ⋯⋯⋯⋯⋯⋯ (   )

식용유통의 들이는 약 1500 L입니다. ⋯⋯⋯⋯ (   )

오이 한 개의 무게는 약 200 g입니다. ⋯⋯⋯⋯ (   )

바둑돌 한 개의 무게는 약 4 kg입니다. ⋯⋯⋯⋯ (   )

코끼리 한 마리의 무게는 약 5 t입니다. ⋯⋯⋯⋯ (   )

선풍기 한 대의 무게는 약 3 t입니다. ⋯⋯⋯⋯⋯ (   )

■ 가장 적절한 단위를 골라 ○표 하세요.

약병의 들이는 약 30 (mL , L)입니다.

냉장고의 들이는 약 700 (mL , L)입니다.

세숫대야의 들이는 약 4 (mL , L)입니다.

물컵의 들이는 약 300 (mL , L)입니다.

100원짜리 동전의 무게는 약 5 (g , kg , t)입니다.

버스의 무게는 약 10 (g , kg , t)입니다.

의자의 무게는 약 4 (g , kg , t)입니다.

휴대 전화의 무게는 약 200 (g , kg , t)입니다.

알맞게 이어 보세요.

주사기의 들이는 •	• 약 2 L입니다.
냄비의 들이는 •	• 약 200 mL입니다.
종이컵의 들이는 •	• 약 300 L입니다.
욕조의 들이는 •	• 약 10 mL입니다.

승용차의 무게는 •	• 약 10 kg입니다.
바나나 한 송이의 무게는 •	• 약 20 g입니다.
책상의 무게는 •	• 약 2 t입니다.
칫솔의 무게는 •	• 약 1 kg입니다.

우유갑과 들이

☑ 우유갑의 들이를 보고 물병의 들이를 바르게 어림한 말에 ◯표 하세요.

200 mL   500 mL   1 L

1 L 우유갑보다 조금
적을 것 같으므로
약 900 L입니다.

(   )

500 mL 우유갑으로
2번 들어갈 것 같으므로
약 1 L입니다.

(   )

1 L 우유갑의 절반 정도
들어갈 것 같으므로
약 500 mL입니다.

(   )

200 mL 우유갑으로 3번
들어갈 것 같으므로
약 6 L입니다.

(   )

1 L 우유갑으로 2번
들어갈 것 같으므로
약 2000 L입니다.

(   )

500 mL 우유갑으로
4번 들어갈 것
같으므로 약 2 L입니다.

(   )

■ 물음에 답하세요.

> 물병에 물을 가득 채운 뒤 들이가 |L인 빈 우유갑 2개에 똑같이 나누어
> 담았더니 우유갑에 물이 절반씩 찼습니다. 물병의 들이는 약 얼마일까요?

물병의 들이는 약 (500 mL , |L , 2L)입니다.

> 들이가 |L인 우유갑에 물을 가득 채운 뒤 들이가 같은 컵 5개에 똑같이 나누
> 어 담았더니 컵에 물이 절반씩 찼습니다. 컵 하나의 들이는 약 얼마일까요?

컵 하나의 들이는 약 (100 mL , 200 mL , 400 mL)입니다.

memo

형성평가

형성평가 1회

1 주전자와 물병 중 들이가 더 많은 것은 무엇일까요?

주전자	물병
1050 mL	1 L 200 mL

(　　　　　　)

2 빈칸에 알맞은 수를 써넣으세요.

5000 mL = □ L

2 L 700 mL = □ mL

9 t = □ kg

3080 g = □ kg □ g

3 ㉠, ㉡, ㉢에 들어가는 세 수의 합을 구해 보세요.

㉠kg ㉡g = 8040 g

3000 kg = ㉢t

(　　　　　　)

4 물통에 물을 가득 채우려면 가 컵으로는 **9**번 부어야 가득 차고 나 컵으로는 **12**번 부어야 가득 찹니다. 가와 나 컵 중 들이가 더 적은 컵은 무엇일까요?

(   )컵

5 축구공, 야구공, 테니스공 중에서 한 개의 무게가 가장 가벼운 것부터 차례로 써 보세요.

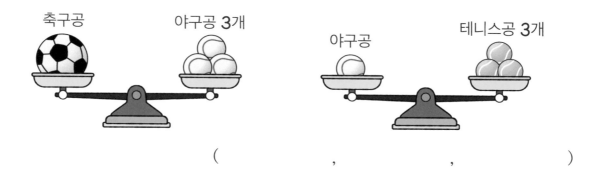

(,   ,   )

6 들이가 **4** L인 빈 수조에 들이가 **700** mL인 그릇에 물을 가득 채워 **2**번 부었습니다. 수조에 물을 가득 채우려면 물을 몇 L 몇 mL 더 부어야 할까요?

☐ L ☐ mL

1 그릇에 물을 가득 채운 뒤 주스병에 부었더니 주스병에 물이 넘쳤습니다. 그릇과 주스병 중 들이가 더 많은 것에 ◯표 하세요.

그릇

주스병

(   )   (   )

2 들이가 같은 것끼리 이어 보세요.

6 L 200 mL ·

6 L 20 mL ·

6 L 120 mL ·

· 6120 mL

· 6200 mL

· 6020 mL

3 들이의 합과 차를 구해 보세요.

1 L 300 mL   5 L 600 mL

합: [   ] L [   ] mL   차: [   ] L [   ] mL

4 귤과 감의 무게를 바둑돌로 비교했습니다. 귤과 감 중 어느 것이 얼마나 더 무거운 지 빈칸에 알맞은 수 또는 말을 써넣으세요.

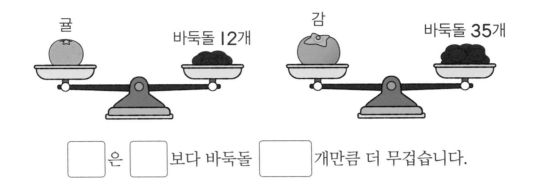

　　□은 □보다 바둑돌 □개만큼 더 무겁습니다.

5 양파 2350 g과 당근 1 kg 600 g을 상자에 담았습니다. 상자에 담은 양파와 당근은 모두 몇 kg 몇 g일까요?

 □kg □g

6 과일이 담긴 그릇의 무게와 과일의 무게를 재었더니 다음과 같았습니다. 빈 그릇의 무게는 몇 g일까요?

 □g

memo

초등 수학 핵심파트 집중 완성

교과특강

초3

C 2

들이와 무게

정답

사고력
문제해결력

측정 · 규칙성
자료와 가능성

에듀히어로
Edu HERO

정답

C2

들이와 무게

정답

1 주차: 들이 비교

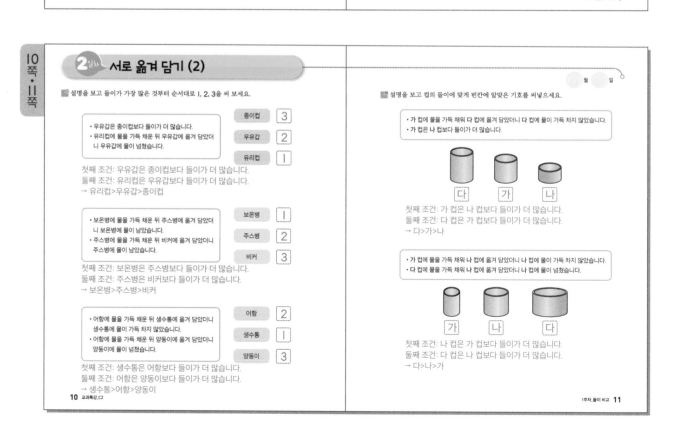

1일차 서로 옮겨 담기 (1)

물병에 물을 가득 채워 옮겨 담은 것을 보고 빈칸에 알맞은 기호를 써넣으세요.

가 물병에 물을 가득 채워 나 물병에 옮겨 담았더니 나 물병에 물이 넘쳤습니다.

물이는 물병과 옮겨담은 물에 가득 담을 수 있는 양입니다.

가와 나 중 들이가 더 많은 물병은 가 입니다.
나 물병을 가득 채우고도 넘쳤으므로 가 물병의 들이가 더 많습니다.

가 물병에 물을 가득 채워 나 물병에 옮겨 담았더니 나 물병에 물이 가득 차지 않았습니다.

가와 나 중 들이가 더 많은 물병은 나 입니다.
나 물병은 가 물병보다 물을 더 채울 수 있으므로 나 물병의 들이가 더 많습니다.

가 물병에 물을 가득 채워 나 물병에 옮겨 담았더니 가 물병에 물이 남았습니다.

가와 나 중 들이가 더 많은 물병은 가 입니다.
나 물병을 가득 채우고도 가 물병에 물이 남았으므로 가 물병의 들이가 더 많습니다.

들이가 더 많은 것에 ○표 하세요.

비커에 물을 가득 채운 뒤 음료수병에 옮겨 담았더니 비커에 물이 남았습니다. ((비커) 음료수병)

세숫대야에 물을 가득 채운 뒤 항아리에 옮겨 담았더니 항아리에 물이 가득 차지 않았습니다. (세숫대야 (항아리))

꽃병에 물을 가득 채운 뒤 그릇에 옮겨 담았더니 그릇에 물이 넘쳤습니다. ((꽃병) 그릇)

주전자에 물을 가득 채운 뒤 양동이에 옮겨 담았더니 양동이에 물이 가득 차지 않았습니다. (주전자 (양동이))

주스병에 물을 가득 채운 뒤 물병에 옮겨 담았더니 주스병에 물이 남았습니다. ((주스병) 물병)

2일차 서로 옮겨 담기 (2)

설명을 보고 들이가 가장 많은 것부터 순서대로 1, 2, 3을 써 보세요.

- 우유갑은 종이컵보다 들이가 더 많습니다.
- 유리컵에 물을 가득 채운 뒤 우유갑에 옮겨 담았더니 우유갑에 물이 넘쳤습니다.

종이컵 3
우유갑 2
유리컵 1

첫째 조건: 우유갑은 종이컵보다 들이가 더 많습니다.
둘째 조건: 유리컵은 우유갑보다 들이가 더 많습니다.
→ 유리컵>우유갑>종이컵

- 보온병에 물을 가득 채운 뒤 주스병에 옮겨 담았더니 보온병에 물이 남았습니다.
- 주스병에 물을 가득 채운 뒤 비커에 옮겨 담았더니 주스병에 물이 남았습니다.

보온병 1
주스병 2
비커 3

첫째 조건: 보온병은 주스병보다 들이가 더 많습니다.
둘째 조건: 주스병은 비커보다 들이가 더 많습니다.
→ 보온병>주스병>비커

- 어항에 물을 가득 채운 뒤 생수통에 옮겨 담았더니 생수통에 물이 가득 차지 않았습니다.
- 어항에 물을 가득 채운 뒤 양동이에 옮겨 담았더니 양동이에 물이 넘쳤습니다.

어항 2
생수통 1
양동이 3

첫째 조건: 생수통은 어항보다 들이가 더 많습니다.
둘째 조건: 어항은 양동이보다 들이가 더 많습니다.
→ 생수통>어항>양동이

설명을 보고 컵의 들이에 맞게 빈칸에 알맞은 기호를 써넣으세요.

- 가 컵에 물을 가득 채워 다 컵에 옮겨 담았더니 다 컵에 물이 가득 차지 않았습니다.
- 가 컵은 나 컵보다 들이가 더 많습니다.

다 가 나

첫째 조건: 가 컵은 나 컵보다 들이가 더 많습니다.
둘째 조건: 다 컵은 가 컵보다 들이가 더 많습니다.
→ 다>가>나

- 가 컵에 물을 가득 채워 나 컵에 옮겨 담았더니 나 컵에 물이 가득 차지 않았습니다.
- 다 컵에 물을 가득 채워 나 컵에 옮겨 담았더니 나 컵에 물이 넘쳤습니다.

가 나 다

첫째 조건: 나 컵은 가 컵보다 들이가 더 많습니다.
둘째 조건: 다 컵은 나 컵보다 들이가 더 많습니다.
→ 다>나>가

3일차 큰 단위로 옮겨 담기

용기에 물을 가득 채운 뒤 모양과 크기가 같은 수조에 옮겨 담았습니다. 알맞은 말에 ○표 하세요.

컵은 그릇보다 들이가 더 (많습니다 (적습니다)).

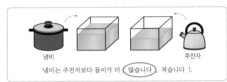

냄비는 주전자보다 들이가 더 ((많습니다), 적습니다).

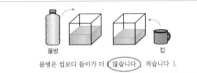

물병은 컵보다 들이가 더 ((많습니다) 적습니다).

모양과 크기가 같은 수조이므로 물의 높이가 높을수록 들이가 더 많습니다.

물병에 물을 가득 채운 뒤 모양과 크기가 같은 수조에 옮겨 담았습니다. 들이가 가장 적은 물병부터 순서대로 1, 2, 3을 써 보세요.

| 1 | 3 | 2 |

| 2 | 3 | 1 |

| 2 | 1 | 3 |

4일차 작은 단위로 옮겨 담기

물병에 물을 가득 채운 뒤 모양과 크기가 같은 작은 컵에 모두 옮겨 담았습니다. 빈칸에 알맞은 수 또는 기호를 써넣으세요.

가 물병은 컵 5 개만큼, 나 물병은 컵 3 개만큼 물이 들어갑니다.

가 물병은 나 물병보다 컵 2 개만큼 들이가 더 많습니다.

5 − 3 = 2(개)

가 물병은 컵 4 개만큼, 나 물병은 컵 8 개만큼 물이 들어갑니다.

나 물병은 가 물병보다 컵 4 개만큼 들이가 더 많습니다.

8 − 4 = 4(개)

물음에 답하세요.

> 물병과 주스병에 물을 가득 채운 뒤 모양과 크기가 같은 컵에 모두 옮겨 담았더니 물병은 컵 8개, 주스병은 컵 7개만큼 물이 들어갔습니다. 물병과 주스병 중 들이가 더 많은 것은 무엇일까요?

물병은 주스병보다 컵 1개만큼 들이가 더 많습니다.　(물병)

> 주전자, 꽃병, 그릇에 물을 가득 채운 뒤 모양과 크기가 같은 컵에 모두 옮겨 담았습니다. 주전자, 꽃병, 그릇 중 들이가 가장 적은 것은 무엇일까요?

용기	주전자	꽃병	그릇
컵	7번	5번	3번

(그릇)

컵에 옮겨 담은 횟수가 적을수록 들이가 적습니다.

> 주전자와 그릇에 물을 가득 채운 뒤 모양과 크기가 같은 컵에 모두 옮겨 담았습니다. 주전자의 들이는 그릇의 들이의 몇 배일까요?

주전자 → 그릇 →

(3)배

주전자의 들이는 컵 6개만큼, 그릇의 들이는 컵 2개만큼입니다.
6은 2의 3배이므로 주전자의 들이는 그릇의 들이의 3배입니다.

5일차 작은 단위 비교

월 일

물병에 물을 가득 채우려면 가, 나, 다 컵에 물을 가득 채운 뒤 각각 그림과 같이 부어야 합니다. 빈칸에 알맞은 수 또는 기호를 써넣으세요.

물병에 물을 가득 채우려면 가 컵으로 **5** 번, 나 컵으로 **3** 번 부어야 합니다.

가와 나 중 들이가 더 많은 컵은 **나** 입니다. 컵의 들이가 컵일수록 부은 횟수를 적어야 합니다.

가와 나 중 들이가 더 많은 컵은 **가** 입니다.

가, 나, 다 중 들이가 가장 많은 컵은 **가** , 들이가 가장 적은 컵은 **나** 입니다.

16 교과특강_C2

냄비에 물을 가득 채우려면 가, 나, 다 컵에 물을 가득 채워 각각 다음과 같은 횟수만큼 부어야 합니다. 물음에 답하세요.

컵	가	나	다
부은 횟수(번)	6	3	9

들이가 가장 많은 컵은 무엇인가요? (**나**)컵

컵의 들이가 많을수록 냄비에 물을 붓는 횟수가 적어집니다.

들이가 가장 적은 컵은 무엇인가요? (**다**)컵

컵의 들이가 적을수록 냄비에 물을 붓는 횟수가 많아집니다.

나 컵의 들이는 가 컵의 들이의 몇 배인가요? (**2**)배

나 컵으로 3번 붓는 양과 가 컵으로 6번 붓는 양이 같습니다. 6은 3의 2배이므로 나 컵의 들이는 가 컵의 들이의 2배입니다.

나 컵의 들이는 다 컵의 들이의 몇 배인가요? (**3**)배

나 컵으로 3번 붓는 양과 다 컵으로 9번 붓는 양이 같습니다. 9는 3의 3배이므로 나 컵의 들이는 다 컵의 들이의 3배입니다.

1주차_들이 비교 17

생각 + 더하기

생수병 채우기

생수병의 들이는 보온병 들이의 2배입니다. 종이컵에 물을 가득 채워 보온병에 4번 부었더니 보온병에 물이 가득 찼습니다. 생수병에 물을 가득 채우려면 종이컵에 물을 가득 채워 몇 번 부어야 할까요?

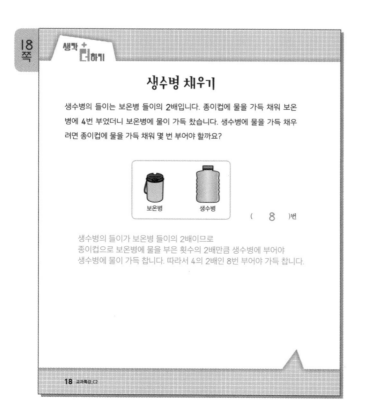

(**8**)번

생수병의 들이가 보온병 들이의 2배이므로
종이컵으로 보온병에 물을 부은 횟수의 2배만큼 생수병에 부어야
생수병에 물이 가득 찹니다. 따라서 4의 2배인 8번 부어야 가득 찹니다.

18 교과특강_C2

2주차: 들이의 단위

1일차 mL와 L

주어진 들이를 쓰고 읽어 보세요.

| 600 mL | 쓰기 600 mL | 읽기 600 밀리리터 |

| 3 L | 쓰기 3 L | 읽기 3 리터 |

| 1 L 200 mL | 쓰기 1 L 200 mL |
| | 읽기 1 리터 200 밀리리터 |

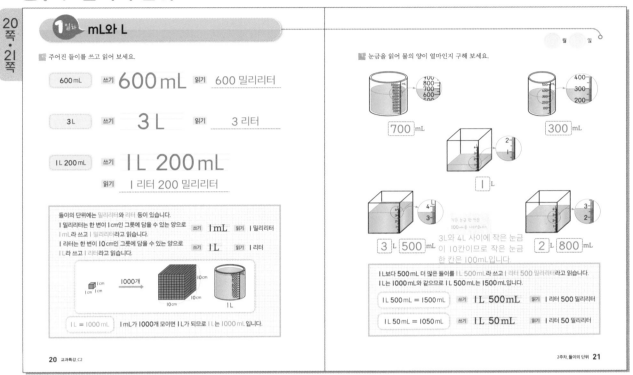

들이의 단위에는 밀리리터와 리터 등이 있습니다.
1 밀리리터는 한 변이 1 cm인 그릇에 담을 수 있는 양으로   쓰기 1 mL 읽기 1 밀리리터
1 mL라 쓰고 1 밀리리터라고 읽습니다.
1 리터는 한 변이 10 cm인 그릇에 담을 수 있는 양으로   쓰기 1 L 읽기 1 리터
1 L라 쓰고 1 리터라고 읽습니다.

1 L = 1000 mL   1 mL가 1000개 모이면 1 L가 되므로 1 L는 1000 mL 입니다.

눈금을 읽어 물의 양이 얼마인지 구해 보세요.

700 mL   300 mL

1 L

3 L 500 mL   3L와 4L 사이에 작은 눈금이 10칸이므로 작은 눈금 한 칸은 100 mL입니다.   2 L 800 mL

1 L보다 500 mL 더 많은 들이를 1 L 500 mL라 쓰고 1 리터 500 밀리리터라고 읽습니다.
1 L는 1000 mL와 같으므로 1 L 500 mL는 1500 mL입니다.

| 1 L 500 mL = 1500 mL | 쓰기 1 L 500 mL | 읽기 1 리터 500 밀리리터 |

| 1 L 50 mL = 1050 mL | 쓰기 1 L 50 mL | 읽기 1 리터 50 밀리리터 |

2일차 mL와 L의 관계

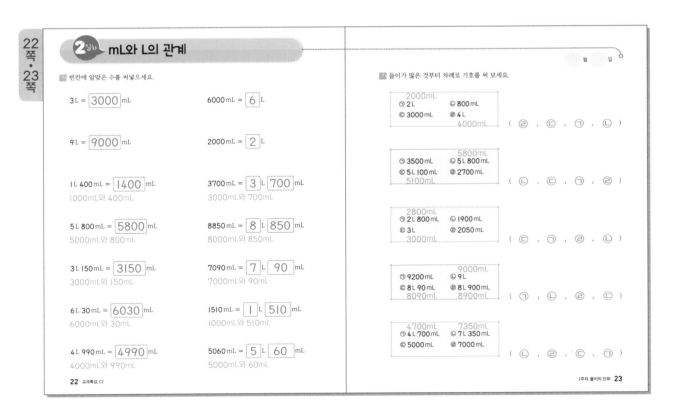

빈칸에 알맞은 수를 써넣으세요.

3 L = 3000 mL   6000 mL = 6 L

9 L = 9000 mL   2000 mL = 2 L

1 L 400 mL = 1400 mL   3700 mL = 3 L 700 mL
1000mL와 400mL   3000mL와 700mL

5 L 800 mL = 5800 mL   8850 mL = 8 L 850 mL
5000mL와 800mL   8000mL와 850mL

3 L 150 mL = 3150 mL   7090 mL = 7 L 90 mL
3000mL와 150mL   7000mL와 90mL

6 L 30 mL = 6030 mL   1510 mL = 1 L 510 mL
6000mL와 30mL   1000mL와 510mL

4 L 990 mL = 4990 mL   5060 mL = 5 L 60 mL
4000mL와 990mL   5000mL와 60mL

들이가 많은 것부터 차례로 기호를 써 보세요.

2000mL	
㉠ 2 L	㉡ 800 mL
㉢ 3000 mL	㉣ 4 L
	4000mL

(㉣ , ㉢ , ㉠ , ㉡)

	5800mL
㉠ 3500 mL	㉡ 5 L 800 mL
㉢ 5 L 100 mL	㉣ 2700 mL
5100mL	

(㉡ , ㉢ , ㉠ , ㉣)

2800mL	
㉠ 2 L 800 mL	㉡ 1900 mL
㉢ 3 L	㉣ 2050 mL
3000mL	

(㉢ , ㉠ , ㉣ , ㉡)

	9000mL
㉠ 9200 mL	㉡ 9 L
㉢ 8 L 90 mL	㉣ 8 L 900 mL
8090mL	8900mL

(㉠ , ㉡ , ㉣ , ㉢)

4700mL	7350mL
㉠ 4 L 700 mL	㉡ 7 L 350 mL
㉢ 5000 mL	㉣ 7000 mL

(㉡ , ㉣ , ㉢ , ㉠)

24쪽·25쪽

3일차 들이의 덧셈

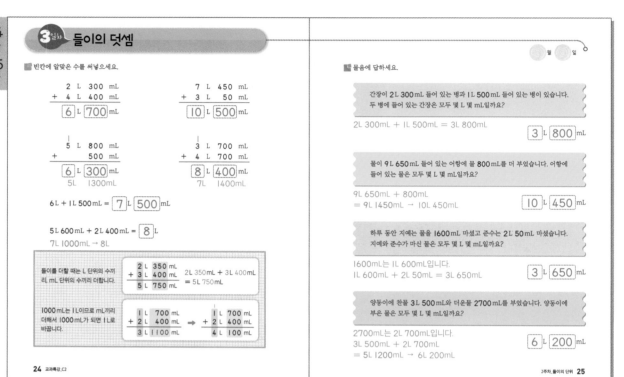

빈칸에 알맞은 수를 써넣으세요.

```
    2 L 300 mL
  + 4 L 400 mL
  [6] L [700] mL
```

```
    7 L 450 mL
  + 3 L  50 mL
  [10] L [500] mL
```

```
    5 L 800 mL
  +     500 mL
  [6] L [300] mL
    5L 1300mL
```

```
    3 L 700 mL
  + 4 L 700 mL
  [8] L [400] mL
    7L 1400mL
```

6L + 1L 500mL = [7] L [500] mL

5L 600mL + 2L 400mL = [8] L
7L 1000mL → 8L

들이를 더할 때는 L 단위의 수끼리, mL 단위의 수끼리 더합니다.

```
    2 L 350 mL
  + 3 L 400 mL      2L 350mL + 3L 400mL
    5 L 750 mL    = 5L 750mL
```

1000mL는 1L이므로 mL끼리 더해서 1000mL가 되면 1L로 바꿉니다.

```
    1 L 700 mL        1 L 700 mL
  + 2 L 400 mL  →   + 2 L 400 mL
    3 L 1100 mL       4 L 100 mL
```

물음에 답하세요.

간장이 2L 300mL 들어 있는 병과 1L 500mL 들어 있는 병이 있습니다. 두 병에 들어 있는 간장은 모두 몇 L 몇 mL일까요?

2L 300mL + 1L 500mL = 3L 800mL

[3] L [800] mL

물이 9L 650mL 들어 있는 어항에 물 800mL를 더 부었습니다. 어항에 들어 있는 물은 모두 몇 L 몇 mL일까요?

9L 650mL + 800mL
= 9L 1450mL → 10L 450mL

[10] L [450] mL

하루 동안 지예는 물을 1600mL 마셨고 준수는 2L 50mL 마셨습니다. 지예와 준수가 마신 물은 모두 몇 L 몇 mL일까요?

1600mL는 1L 600mL입니다.
1L 600mL + 2L 50mL = 3L 650mL

[3] L [650] mL

양동이에 찬물 3L 500mL와 더운물 2700mL를 부었습니다. 양동이에 부은 물은 모두 몇 L 몇 mL일까요?

2700mL는 2L 700mL입니다.
3L 500mL + 2L 700mL
= 5L 1200mL → 6L 200mL

[6] L [200] mL

26쪽·27쪽

4일차 들이의 뺄셈

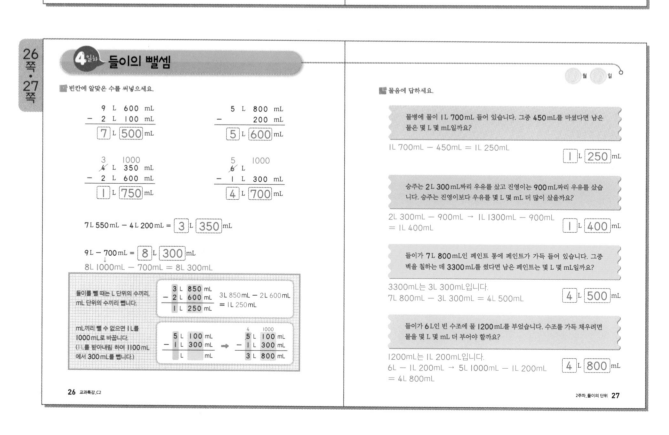

빈칸에 알맞은 수를 써넣으세요.

```
    9 L 600 mL
  - 2 L 100 mL
  [7] L [500] mL
```

```
    5 L 800 mL
  -     200 mL
  [5] L [600] mL
```

```
    3  1000
    4 L 350 mL
  - 2 L 600 mL
  [1] L [750] mL
```

```
    5  1000
    6 L
  - 1 L 300 mL
  [4] L [700] mL
```

7L 550mL - 4L 200mL = [3] L [350] mL

9L - 700mL = [8] L [300] mL
8L 1000mL - 700mL = 8L 300mL

들이를 뺄 때는 L 단위의 수끼리, mL 단위의 수끼리 뺍니다.

```
    3 L 850 mL
  - 2 L 600 mL      3L 850mL - 2L 600mL
    1 L 250 mL    = 1L 250mL
```

mL끼리 뺄 수 없으면 1L를 1000mL로 바꿉니다.
(1L를 받아내림 하여 1100mL에서 300mL를 뺍니다)

```
    5 L 100 mL        4  1000
  - 1 L 300 mL    →   5 L 100 mL
    L     mL        - 1 L 300 mL
                      3 L 800 mL
```

물음에 답하세요.

물병에 물이 1L 700mL 들어 있습니다. 그중 450mL를 마셨다면 남은 물은 몇 L 몇 mL일까요?

1L 700mL - 450mL = 1L 250mL

[1] L [250] mL

승주는 2L 300mL짜리 우유를 샀고 진영이는 900mL짜리 우유를 샀습니다. 승주는 진영이보다 우유를 몇 L 몇 mL 더 많이 샀을까요?

2L 300mL - 900mL → 1L 1300mL - 900mL
= 1L 400mL

[1] L [400] mL

들이가 7L 800mL인 페인트 통에 페인트가 가득 들어 있습니다. 그중 벽을 칠하는 데 3300mL를 썼다면 남은 페인트는 몇 L 몇 mL일까요?

3300mL는 3L 300mL입니다.
7L 800mL - 3L 300mL = 4L 500mL

[4] L [500] mL

들이가 6L인 빈 수조에 물 1200mL를 부었습니다. 수조를 가득 채우려면 물을 몇 L 몇 mL 더 부어야 할까요?

1200mL는 1L 200mL입니다.
6L - 1L 200mL → 5L 1000mL - 1L 200mL
= 4L 800mL

[4] L [800] mL

5일차 들이의 덧셈과 뺄셈

📝 물음에 답하세요.

> 물이 1L 300mL 들어 있는 냄비에 물을 800mL만큼 2번 부었더니
> 냄비에 물이 가득 찼습니다. 냄비의 들이는 몇 L 몇 mL일까요?

1번 부었을 때: 1L 300mL + 800mL = 2L 100mL
2번 부었을 때: 2L 100mL + 800mL = 2L 900mL

$\boxed{2}$ L $\boxed{900}$ mL

(또는 더 넣은 물은 800mL + 800mL = 1L 600mL이므로
냄비의 들이는 1L 300mL + 1L 600mL = 2L 900mL입니다.)

> 들이가 2L인 물병에 물이 가득 들어 있습니다. 이 물을 들이가 650mL인
> 컵 2개에 가득 부었습니다. 물병에 남은 물은 몇 mL일까요?

1번 부었을 때: 2L − 650mL = 1L 350mL
2번 부었을 때: 1L 350mL − 650mL = 700mL

$\boxed{700}$ mL

(또는 컵에 부은 물이 모두 650mL + 650mL = 1L 300mL이므로
물병에 남은 물은 2L − 1L 300mL = 700mL입니다.)

> 우유가 1L 500mL 있습니다. 그중 민준이가 400mL 마시고 세운이가
> 250mL 마셨습니다. 남은 우유는 몇 mL일까요?

민준이가 마신 후: 1L 500mL − 400mL = 1L 100mL
세운이가 마신 후: 1L 100mL − 250mL = 850mL

$\boxed{850}$ mL

(또는 두 친구가 마신 물이 모두 400mL + 250mL = 650mL이므로
남은 우유는 1L 500mL − 650mL = 850mL입니다.)

📝 물음에 답하세요.

> 민하는 1L 500mL짜리 주스를 1병 샀고 승재는 850mL짜리 주스를 2병
> 샀습니다. 누가 주스를 몇 mL만큼 더 많이 샀을까요?

1L 500mL
민하

850mL
승재

$\boxed{승재}$ 가 주스를 $\boxed{200}$ mL만큼 더 많이 샀습니다.

민하가 산 주스: 1L 500mL
승재가 산 주스: 850mL + 850mL = 1L 700mL
승재가 1L 700mL − 1L 500mL = 200mL만큼 더 많이 샀습니다.

> 주호와 예서가 서로 다른 물병의 물을 마셨습니다. 주호와 예서가 마신 물
> 은 모두 몇 L 몇 mL일까요?

	주호	예서
물병에 들어 있었던 물의 양	900mL	1L 300mL
마신 후 물병에 남은 물의 양	300mL	800mL

주호와 예서가 마신 물은 모두 $\boxed{1}$ L $\boxed{100}$ mL입니다.

주호가 마신 물: 900mL − 300mL = 600mL
예서가 마신 물: 1L 300mL − 800mL = 500mL
두 친구가 마신 물은 모두 600mL + 500mL = 1L 100mL입니다.

생각 + 더하기

2L 만들기

들이가 2L인 물병에 물이 가득 들어 있습니다. 이 물을 모두 옮겨 담아 빈 병
3개에 가득 채우려고 합니다. 주어진 5개의 빈 병 중 필요한 병 3개에 각각
◯표 하세요.

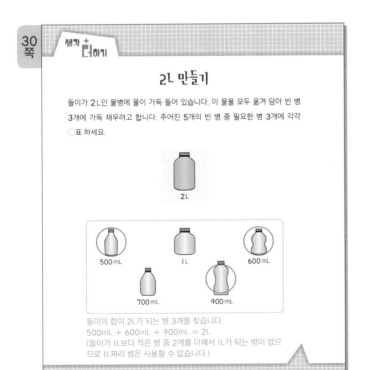

들이의 합이 2L가 되는 병 3개를 찾습니다.
500mL + 600mL + 900mL = 2L
(들이가 1L보다 적은 병 중 2개를 더해서 1L가 되는 병이 없으
므로 1L짜리 병은 사용할 수 없습니다.)

정답

3주차: 무게 비교

1일차 저울 이용하기

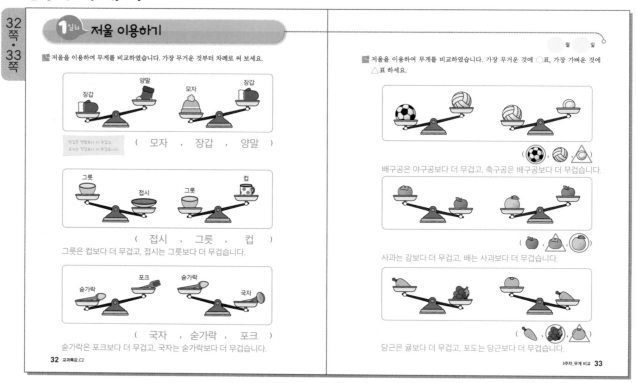

저울을 이용하여 무게를 비교하였습니다. 가장 무거운 것부터 차례로 써 보세요.

(모자 , 장갑 , 양말)

정답은 양말보다 더 무겁고,
모자는 장갑보다 더 무겁습니다.

(접시 , 그릇 , 컵)

그릇은 컵보다 더 무겁고, 접시는 그릇보다 더 무겁습니다.

(국자 , 숟가락 , 포크)

숟가락은 포크보다 더 무겁고, 국자는 숟가락보다 더 무겁습니다.

저울을 이용하여 무게를 비교하였습니다. 가장 무거운 것에 ◯표, 가장 가벼운 것에 △표 하세요.

배구공은 야구공보다 더 무겁고, 축구공은 배구공보다 더 무겁습니다.

(사과 , 감 , 배)

사과는 감보다 더 무겁고, 배는 사과보다 더 무겁습니다.

당근은 귤보다 더 무겁고, 포도는 당근보다 더 무겁습니다.

2일차 무게 비교 (1)

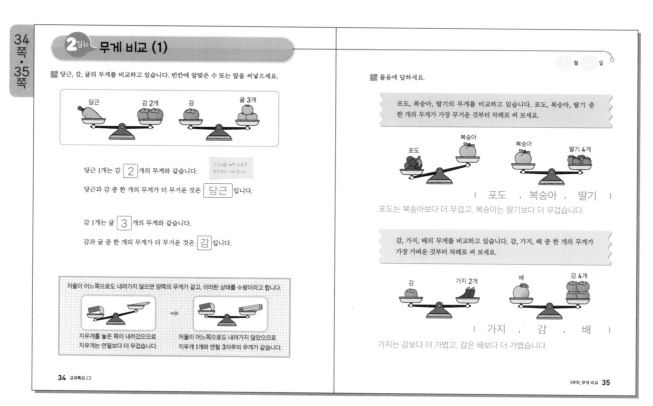

당근, 감, 귤의 무게를 비교하고 있습니다. 빈칸에 알맞은 수 또는 말을 써넣으세요.

당근 1개는 감 **2** 개의 무게와 같습니다.

양쪽 저울에 올려 놓은 것은
당근쪽이 내려갔어요.

당근과 감 중 한 개의 무게가 더 무거운 것은 **당근** 입니다.

감 1개는 귤 **3** 개의 무게와 같습니다.

감과 귤 중 한 개의 무게가 더 무거운 것은 **감** 입니다.

저울이 어느쪽으로도 내려가지 않으면 양쪽의 무게가 같고, 이러한 상태를 수평이라고 합니다.

지우개를 놓은 쪽이 내려갔으므로 지우개는 연필보다 더 무겁습니다. → 저울이 어느쪽으로도 내려가지 않았으므로 지우개 1개와 연필 3자루의 무게가 같습니다.

물음에 답하세요.

포도, 복숭아, 딸기의 무게를 비교하고 있습니다. 포도, 복숭아, 딸기 중 한 개의 무게가 가장 무거운 것부터 차례로 써 보세요.

(포도 , 복숭아 , 딸기)

포도는 복숭아보다 더 무겁고, 복숭아는 딸기보다 더 무겁습니다.

감, 가지, 배의 무게를 비교하고 있습니다. 감, 가지, 배 중 한 개의 무게가 가장 가벼운 것부터 차례로 써 보세요.

(가지 , 감 , 배)

가지는 감보다 더 가볍고, 감은 배보다 더 가볍습니다.

3일차 작은 단위 이용하기

■ 바둑돌을 이용하여 무게를 재었습니다. 빈칸에 알맞은 수를 써넣고 알맞은 말에 ○표 하세요.

색연필은 바둑돌 **3** 개, 풀은 바둑돌 **8** 개의 무게와 같습니다.

색연필과 풀 중 더 무거운 것은 (색연필 , **풀**)입니다.

달걀은 바둑돌 **10** 개, 빵은 바둑돌 **7** 개의 무게와 같습니다.

달걀과 빵 중 더 무거운 것은 (**달걀** , 빵)입니다.

■ 물음에 답하세요.

수첩은 바둑돌 15개, 필통은 바둑돌 10개의 무게와 같습니다. 수첩과 필통 중 더 무거운 것은 무엇일까요?

(수첩)

감자는 공깃돌 22개, 양파는 공깃돌 18개의 무게와 같습니다. 감자와 양파 중 더 가벼운 것은 무엇일까요?

(양파)

자는 클립 8개, 붓은 클립 16개, 연필은 클립 12개의 무게와 같습니다. 자, 붓, 연필 중 가장 무거운 것부터 차례로 써 보세요.

(붓 , 연필 , 자)

토마토는 구슬 20개, 키위는 구슬 9개, 레몬은 구슬 13개의 무게와 같습니다. 토마토, 키위, 레몬 중 가장 가벼운 것부터 차례로 써 보세요.

(키위 , 레몬 , 토마토)

4일차 무게 비교 (2)

■ 바둑돌을 이용하여 무게를 재었습니다. 빈칸에 알맞은 수 또는 말을 써넣으세요.

포크 바둑돌 8개 숟가락 바둑돌 10개

숟가락은 포크보다 바둑돌 **2** 개만큼 더 무겁습니다.
10−8=2(개)

칫솔 바둑돌 6개 치약 바둑돌 12개

치약 은 **칫솔** 보다 바둑돌 **6** 개만큼 더 무겁습니다.
12−6=6(개)

바나나 바둑돌 28개 귤 바둑돌 15개

바나나 는 **귤** 보다 바둑돌 **13** 개만큼 더 무겁습니다.
28−15=13(개)

■ 물음에 답하세요.

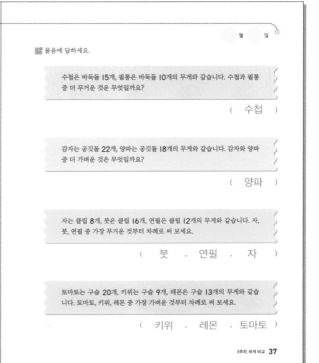

사과 100원짜리 동전 35개 감 100원짜리 동전 25개 당근 500원짜리 동전 25개

사과와 감은 각각 100원짜리 동전 몇 개와 무게가 같은가요?

사과: **35** 개, 감: **25** 개

사과와 감의 무게를 비교하여 보세요.

사과 는 **감** 보다 100원짜리 동전 **10** 개만큼 더 무겁습니다.
35−25=10(개)

감과 당근의 무게에 대한 설명으로 알맞은 말에 ○표 하세요.

감과 당근의 무게는 서로 (같습니다 , **다릅니다**).

당근과 감의 무게를 잰 동전의 개수가 같아도 종류가 다르므로 무게가 다릅니다.
*500원짜리 동전이 더 무거우므로 당근이 감보다 더 무겁습니다.

5단계 작은 단위 비교

한 개의 무게가 더 무거운 것에 ◯표 하세요.

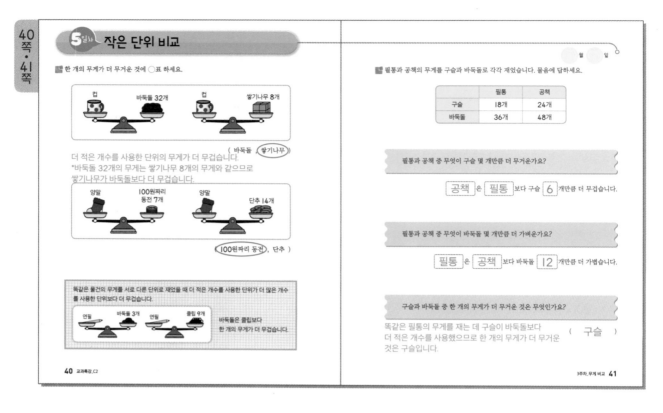

더 적은 개수를 사용한 단위의 무게가 더 무겁습니다.   (바둑돌 ⟨쌍기나무⟩)
*바둑돌 32개의 무게는 쌍기나무 8개의 무게와 같으므로
쌍기나무가 바둑돌보다 더 무겁습니다.

(⟨100원짜리 동전⟩, 단추)

똑같은 물건의 무게를 서로 다른 단위로 재었을 때 더 적은 개수를 사용한 단위가 더 많은 개수
를 사용한 단위보다 더 무겁습니다.

바둑돌은 클립보다
한 개의 무게가 더 무겁습니다.

필통과 공책의 무게를 구슬과 바둑돌로 각각 재었습니다. 물음에 답하세요.

	필통	공책
구슬	18개	24개
바둑돌	36개	48개

필통과 공책 중 무엇이 구슬 몇 개만큼 더 무거운가요?

공책 은 필통 보다 구슬 6 개만큼 더 무겁습니다.

필통과 공책 중 무엇이 바둑돌 몇 개만큼 더 가벼운가요?

필통 은 공책 보다 바둑돌 12 개만큼 더 가볍습니다.

구슬과 바둑돌 중 한 개의 무게가 더 무거운 것은 무엇인가요?

똑같은 필통의 무게를 재는 데 구슬이 바둑돌보다
더 적은 개수를 사용했으므로 한 개의 무게가 더 무거운   (구슬)
것은 구슬입니다.

생각 더하기

바꾸어 놓기

포도, 사과, 바나나의 무게를 비교하였더니 포도 1송이는 사과 2개, 사과 1개
는 바나나 2개의 무게와 같았습니다. 포도 1송이는 바나나 몇 개의 무게와
같은지 빈칸에 알맞은 수를 써넣으세요.

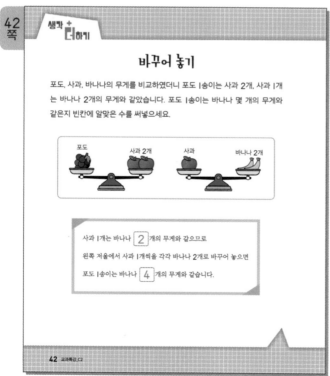

사과 1개는 바나나 2 개의 무게와 같으므로

왼쪽 저울에서 사과 1개씩을 각각 바나나 2개로 바꾸어 놓으면

포도 1송이는 바나나 4 개의 무게와 같습니다.

4주차: 무게의 단위

1일차 g, kg, t

주어진 무게를 쓰고 읽어 보세요.

| 5 kg | 쓰기 | 5 kg | 읽기 | 5 킬로그램 |

| 1kg 800g | 쓰기 | 1kg 800g |
| | 읽기 | 1 킬로그램 800 그램 |

| 7t | 쓰기 | 7 t | 읽기 | 7 톤 |

무게의 단위에는 그램, 킬로그램, 톤 등이 있습니다.
1 그램은 1g이라 쓰고 1그램이라고 읽습니다.
1 킬로그램은 1kg이라 쓰고 1킬로그램이라고 읽습니다.
1 톤은 1t이라 쓰고 1톤이라고 읽습니다.

쓰기	1g	읽기	1 그램
쓰기	1kg	읽기	1 킬로그램
쓰기	1t	읽기	1 톤

1 kg = 1000 g
1kg은 1000g과 같습니다.

1t = 1000kg
1t은 1000kg과 같습니다.

저울의 눈금을 읽어 무게를 나타내어 보세요.

200g과 300g 사이에 작은 눈금이 10칸이므로 작은 눈금 한 칸은 10g입니다.

600 g

220 g

2 kg

1kg과 1500g 사이에 작은 눈금이 5칸이므로 작은 눈금 한 칸은 100g입니다.

3 kg 500 g

1 kg 400 g

1kg보다 300g 더 무거운 무게를 1kg 300g이라 쓰고 1킬로그램 300이라고 읽습니다. 1kg은 1000g과 같으므로 1kg 300은 1300g입니다.

| 1kg 300g = 1300g | 쓰기 | 1kg 300g | 읽기 | 1 킬로그램 300 그램 |
| 1kg 30g = 1030g | 쓰기 | 1kg 30g | 읽기 | 1 킬로그램 30 그램 |

2일차 g, kg, t의 관계

빈칸에 알맞은 수를 써넣으세요.

4 kg = 4000 g   2000g = 2 kg

8 kg = 8000 g   7000g = 7 kg

1kg 300g = 1300 g   4900g = 4 kg 900 g
1000g과 300g   4000g과 900g

5kg 150g = 5150 g   9050g = 9 kg 50 g
5000g과 150g   9000g과 50g

2kg 80g = 2080 g   5001g = 5 kg 1 g
2000g과 80g   5000g과 1g

2t = 2000 kg   1000kg = 1 t

9t = 9000 kg   4000kg = 4 t

무게가 가벼운 것부터 차례로 기호를 써 보세요.

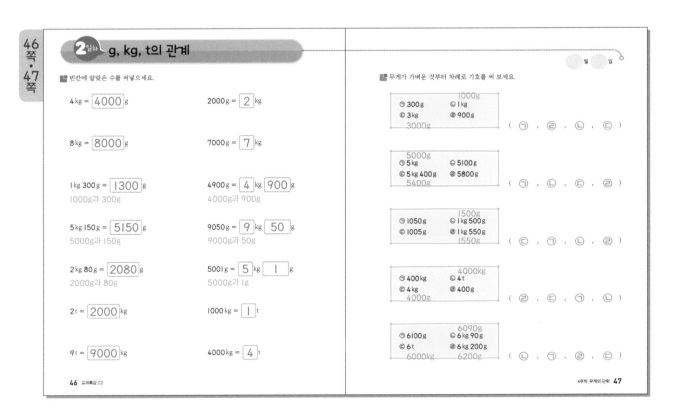

	1000g	
㉠ 300g	㉡ 1kg
㉢ 3kg	㉣ 900g
3000g	

(㉠ , ㉣ , ㉡ , ㉢)

	5000g	
㉠ 5kg	㉡ 5100g
㉢ 5kg 400g	㉣ 5800g
5400g	

(㉠ , ㉡ , ㉢ , ㉣)

	1500g	
㉠ 1050g	㉡ 1kg 500g
㉢ 1005g	㉣ 1kg 550g
1550g	

(㉢ , ㉠ , ㉡ , ㉣)

	4000kg	
㉠ 400kg	㉡ 4t
㉢ 4kg	㉣ 400g
4000g	

(㉣ , ㉢ , ㉠ , ㉡)

	6090g	
㉠ 6100g	㉡ 6kg 90g
㉢ 6t	㉣ 6kg 200g
6000kg	6200g

(㉡ , ㉠ , ㉣ , ㉢)

3일차 무게의 덧셈

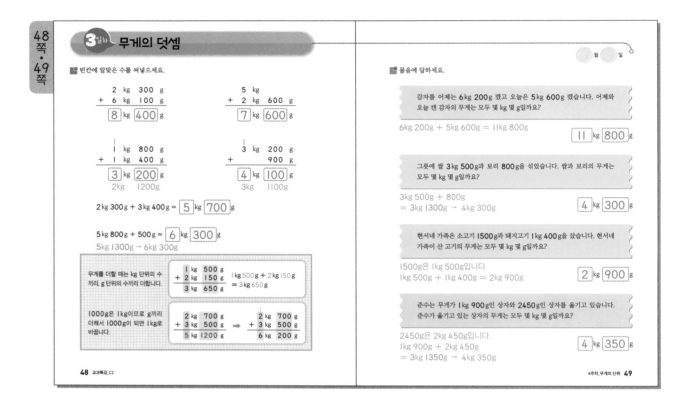

빈칸에 알맞은 수를 써넣으세요.

```
  2 kg 300 g
+ 6 kg 100 g
  8 kg 400 g
```

```
  5 kg
+ 2 kg 600 g
  7 kg 600 g
```

```
  1 kg 800 g
+ 1 kg 400 g
  3 kg 200 g
  2kg  1200g
```

```
  3 kg 200 g
+       900 g
  4 kg 100 g
  3kg  1100g
```

2kg 300g + 3kg 400g = 5 kg 700 g

5kg 800g + 500g = 6 kg 300 g
5kg 1300g → 6kg 300g

무게를 더할 때는 kg 단위의 수끼리, g 단위의 수끼리 더합니다.

```
  1 kg 500 g    1kg 500g + 2kg 150g
+ 2 kg 150 g  = 3kg 650g
  3 kg 650 g
```

1000g은 1kg이므로 g끼리 더해서 1000g이 되면 1kg으로 바꿉니다.

```
  2 kg 700 g       2 kg 700 g
+ 3 kg 500 g   →  + 3 kg 500 g
  5 kg 1200 g       6 kg 200 g
```

물음에 답하세요.

감자를 어제는 6kg 200g 캤고 오늘은 5kg 600g 캤습니다. 어제와 오늘 캔 감자의 무게는 모두 몇 kg 몇 g일까요?

6kg 200g + 5kg 600g = 11kg 800g

11 kg 800 g

그릇에 쌀 3kg 500g과 보리 800g을 섞었습니다. 쌀과 보리의 무게는 모두 몇 kg 몇 g일까요?

3kg 500g + 800g
= 3kg 1300g → 4kg 300g

4 kg 300 g

현서네 가족은 소고기 1500g과 돼지고기 1kg 400g을 샀습니다. 현서네 가족이 산 고기의 무게는 모두 몇 kg 몇 g일까요?

1500g은 1kg 500g입니다.
1kg 500g + 1kg 400g = 2kg 900g

2 kg 900 g

준수는 무게가 1kg 900g인 상자와 2450g인 상자를 옮기고 있습니다. 준수가 옮기고 있는 상자의 무게는 모두 몇 kg 몇 g일까요?

2450g은 2kg 450g입니다.
1kg 900g + 2kg 450g
= 3kg 1350g → 4kg 350g

4 kg 350 g

4일차 무게의 뺄셈

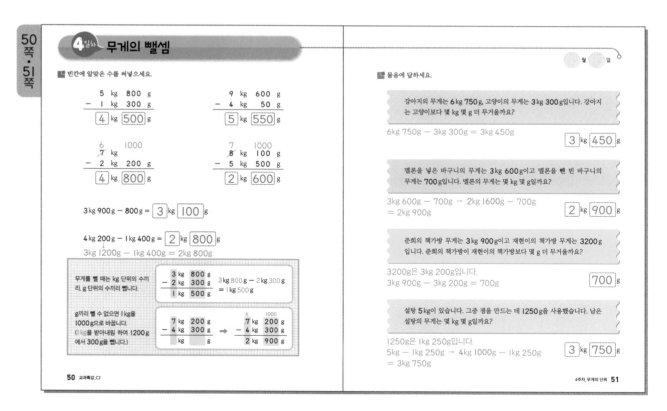

빈칸에 알맞은 수를 써넣으세요.

```
  5 kg 800 g
- 1 kg 300 g
  4 kg 500 g
```

```
  9 kg 600 g
- 4 kg  50 g
  5 kg 550 g
```

```
  6   1000
  7̶ kg
- 2 kg 200 g
  4 kg 800 g
```

```
  7   1000
  8̶ kg 100 g
- 5 kg 500 g
  2 kg 600 g
```

3kg 900g - 800g = 3 kg 100 g

4kg 200g - 1kg 400g = 2 kg 800 g
3kg 1200g - 1kg 400g = 2kg 800g

무게를 뺄 때는 kg 단위의 수끼리, g 단위의 수끼리 뺍니다.

```
  3 kg 800 g    3kg 800g - 2kg 300g
- 2 kg 300 g  = 1kg 500g
  1 kg 500 g
```

g끼리 뺄 수 없으면 1kg을 1000g으로 바꿉니다.
(1kg을 받아내림 하여 1200g에서 300g을 뺍니다.)

```
  7 kg 200 g        6   1000
- 4 kg 300 g   →  7̶ kg 200 g
     kg    g     - 4 kg 300 g
                   2 kg 900 g
```

물음에 답하세요.

강아지의 무게는 6kg 750g, 고양이의 무게는 3kg 300g입니다. 강아지는 고양이보다 몇 kg 몇 g 더 무거울까요?

6kg 750g - 3kg 300g = 3kg 450g

3 kg 450 g

멜론을 넣은 바구니의 무게는 3kg 600g이고 멜론을 뺀 빈 바구니의 무게는 700g입니다. 멜론의 무게는 몇 kg 몇 g일까요?

3kg 600g - 700g → 2kg 1600g - 700g
= 2kg 900g

2 kg 900 g

준희의 책가방 무게는 3kg 900g이고 재현이의 책가방 무게는 3200g입니다. 준희의 책가방이 재현이의 책가방보다 몇 g 더 무거울까요?

3200g은 3kg 200g입니다.
3kg 900g - 3kg 200g = 700g

700 g

설탕 5kg이 있습니다. 그중 잼을 만드는 데 1250g을 사용했습니다. 남은 설탕의 무게는 몇 kg 몇 g일까요?

1250g은 1kg 250g입니다.
5kg - 1kg 250g → 4kg 1000g - 1kg 250g
= 3kg 750g

3 kg 750 g

5일차 무게의 덧셈과 뺄셈

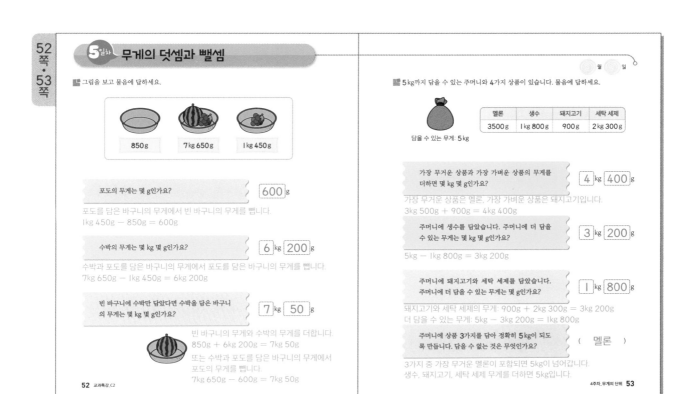

📌 그림을 보고 물음에 답하세요.

850g   7kg 650g   1kg 450g

포도의 무게는 몇 g인가요?   **600** g

포도를 담은 바구니의 무게에서 빈 바구니의 무게를 뺍니다.
1kg 450g − 850g = 600g

수박의 무게는 몇 kg 몇 g인가요?   **6** kg **200** g

수박과 포도를 담은 바구니의 무게에서 포도를 담은 바구니의 무게를 뺍니다.
7kg 650g − 1kg 450g = 6kg 200g

빈 바구니에 수박만 담았다면 수박을 담은 바구니
의 무게는 몇 kg 몇 g인가요?   **7** kg **50** g

빈 바구니의 무게와 수박의 무게를 더합니다.
850g + 6kg 200g = 7kg 50g
또는 수박과 포도를 담은 바구니의 무게에서
포도의 무게를 뺍니다.
7kg 650g − 600g = 7kg 50g

📌 5kg까지 담을 수 있는 주머니와 4가지 상품이 있습니다. 물음에 답하세요.

담을 수 있는 무게: 5kg

멜론	생수	돼지고기	세탁 세제
3500g	1kg 800g	900g	2kg 300g

가장 무거운 상품과 가장 가벼운 상품의 무게를
더하면 몇 kg 몇 g인가요?   **4** kg **400** g

가장 무거운 상품은 멜론, 가장 가벼운 상품은 돼지고기입니다.
3kg 500g + 900g = 4kg 400g

주머니에 생수를 담았습니다. 주머니에 더 담을
수 있는 무게는 몇 kg 몇 g인가요?   **3** kg **200** g

5kg − 1kg 800g = 3kg 200g

주머니에 돼지고기와 세탁 세제를 담았습니다.
주머니에 더 담을 수 있는 무게는 몇 g인가요?   **1** kg **800** g

돼지고기와 세탁 세제의 무게: 900g + 2kg 300g = 3kg 200g
더 담을 수 있는 무게: 5kg − 3kg 200g = 1kg 800g

주머니에 상품 3가지를 담아 정확히 5kg이 되도
록 만듭니다. 담을 수 없는 것은 무엇인가요?   (멜론)

3가지 중 가장 무거운 멜론이 포함되면 5kg이 넘어갑니다.
생수, 돼지고기, 세탁 세제 무게를 더하면 5kg입니다.

생각 더하기

상자의 무게

색깔이 같은 상자끼리 무게가 같습니다. 그림을 보고 색깔별로 상자의 무게
를 각각 구해 보세요.

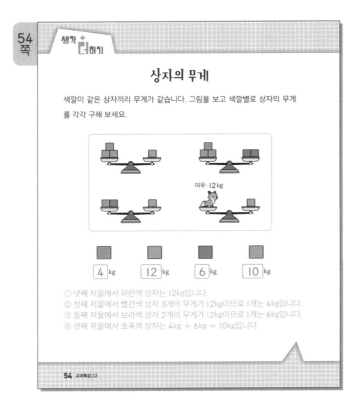

여우: 12kg

■	■	■	■
4 kg	**12** kg	**6** kg	**10** kg

① 넷째 저울에서 파란색 상자는 12kg입니다.
② 첫째 저울에서 빨간색 상자 3개의 무게가 12kg이므로 1개는 4kg입니다.
③ 둘째 저울에서 보라색 상자 2개의 무게가 12kg이므로 1개는 6kg입니다.
④ 셋째 저울에서 초록색 상자는 4kg + 6kg = 10kg입니다.

정답

링크: 어림하기

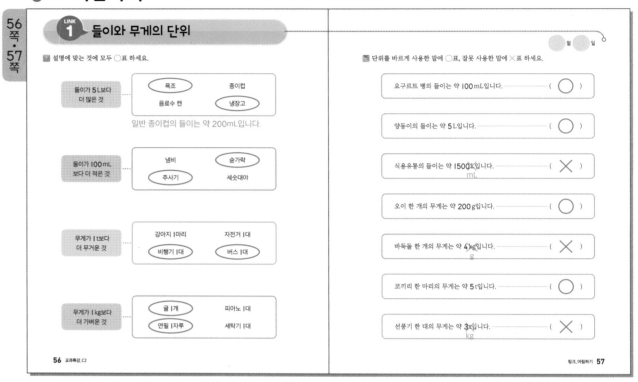

LINK 1 들이와 무게의 단위

■ 설명에 맞는 것에 모두 ○표 하세요.

| 들이가 5L보다 더 많은 것 | 욕조 / 종이컵 / 음료수 캔 / 냉장고 |

일반 종이컵의 들이는 약 200mL입니다.

| 들이가 100mL 보다 더 적은 것 | 냄비 / 숟가락 / 주사기 / 세숫대야 |

| 무게가 1t보다 더 무거운 것 | 강아지 1마리 / 자전거 1대 / 비행기 1대 / 버스 1대 |

| 무게가 1kg보다 더 가벼운 것 | 귤 1개 / 피아노 1대 / 연필 1자루 / 세탁기 1대 |

■ 단위를 바르게 사용한 말에 ○표, 잘못 사용한 말에 ✕표 하세요.

요구르트 병의 들이는 약 100mL입니다. —— (○)

양동이의 들이는 약 5L입니다. —— (○)

식용유통의 들이는 약 1500L입니다. —— (✕)
　　　　　　　　　　　　mL

오이 한 개의 무게는 약 200g입니다. —— (○)

바둑돌 한 개의 무게는 약 4kg입니다. —— (✕)
　　　　　　　　　　　　g

코끼리 한 마리의 무게는 약 5t입니다. —— (○)

선풍기 한 대의 무게는 약 3t입니다. —— (✕)
　　　　　　　　　　　kg

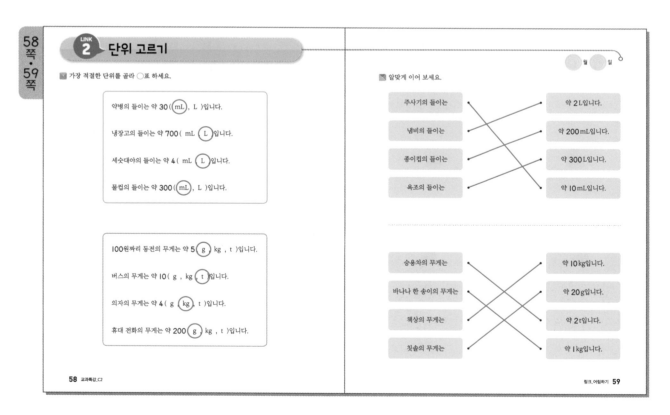

LINK 2 단위 고르기

■ 가장 적절한 단위를 골라 ○표 하세요.

약병의 들이는 약 30(mL , L)입니다.

냉장고의 들이는 약 700(mL , L)입니다.

세숫대야의 들이는 약 4(mL , L)입니다.

물컵의 들이는 약 300(mL , L)입니다.

100원짜리 동전의 무게는 약 5(g , kg , t)입니다.

버스의 무게는 약 10(g , kg , t)입니다.

의자의 무게는 약 4(g , kg , t)입니다.

휴대 전화의 무게는 약 200(g , kg , t)입니다.

■ 알맞게 이어 보세요.

주사기의 들이는 ——— 약 10mL입니다.

냄비의 들이는 ——— 약 2L입니다.

종이컵의 들이는 ——— 약 200mL입니다.

욕조의 들이는 ——— 약 300L입니다.

승용차의 무게는 ——— 약 2t입니다.

바나나 한 송이의 무게는 ——— 약 1kg입니다.

책상의 무게는 ——— 약 10kg입니다.

칫솔의 무게는 ——— 약 20g입니다.

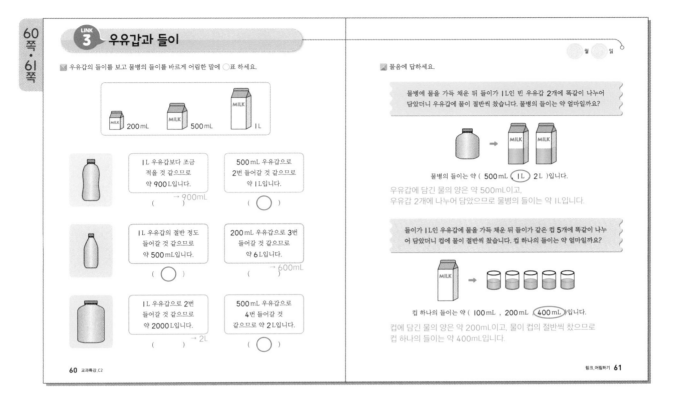

┃ 들이 어림하기 ┃

들이를 잴 때 사용하는 도구는 길이나 무게에 비해서 다양하므로 들이의 양감을 형성하는 것은 길이와 무게보다는 어렵습니다.

따라서 들이의 양감을 형성할 때는 일상 생활에서 자주 접하는 우유갑 등을 이용하는 것이 좋습니다. 200mL, 500mL, 1L 우유갑의 들이를 기준으로 하여 여러 가지 들이를 어림하면 들이의 양감을 형성하는 데 도움이 됩니다.

정답

형성평가

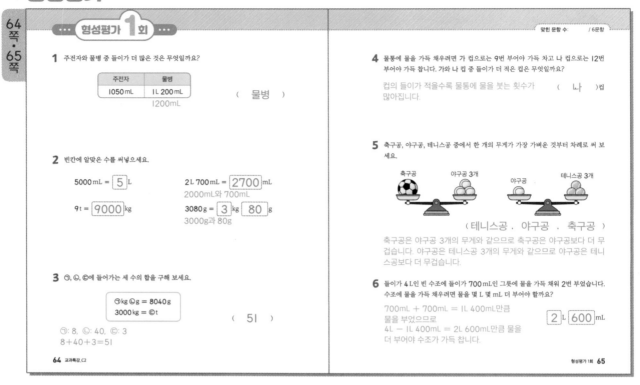

형성평가 1회

맞힌 문항 수: / 6문항

1 주전자와 물병 중 들이가 더 많은 것은 무엇일까요?

주전자	물병
1050mL	1L 200mL
	1200mL

(물병)

2 빈칸에 알맞은 수를 써넣으세요.

5000 mL = $\boxed{5}$ L

2L 700 mL = $\boxed{2700}$ mL
2000mL와 700mL

9 t = $\boxed{9000}$ kg

3080 g = $\boxed{3}$ kg $\boxed{80}$ g
3000g과 80g

3 ㉠, ㉡, ㉢에 들어가는 세 수의 합을 구해 보세요.

㉠kg ㉡g = 8040g
3000kg = ㉢t

(51)

㉠: 8, ㉡: 40, ㉢: 3
8+40+3=51

4 물통에 물을 가득 채우려면 가 컵으로는 9번 부어야 가득 차고 나 컵으로는 12번 부어야 가득 합니다. 가와 나 컵 중 들이가 더 적은 컵은 무엇일까요?

컵의 들이가 적을수록 물통에 물을 붓는 횟수가 (나)컵
많아집니다.

5 축구공, 야구공, 테니스공 중에서 한 개의 무게가 가장 가벼운 것부터 차례로 써 보세요.

축구공   야구공 3개   야구공   테니스공 3개

(테니스공 . 야구공 . 축구공)

축구공은 야구공 3개의 무게와 같으므로 축구공은 야구공보다 더 무
겁습니다. 야구공은 테니스공 3개의 무게와 같으므로 야구공은 테니
스공보다 더 무겁습니다.

6 들이가 4 L인 빈 수조에 들이가 700 mL인 그릇에 물을 가득 채워 2번 부었습니다. 수조에 물을 가득 채우려면 물을 몇 L 몇 mL 더 부어야 할까요?

700mL + 700mL = 1L 400mL만큼
물을 부었으므로
4L − 1L 400mL = 2L 600mL만큼 물을
더 부어야 수조가 가득 합니다.

$\boxed{2}$ L $\boxed{600}$ mL

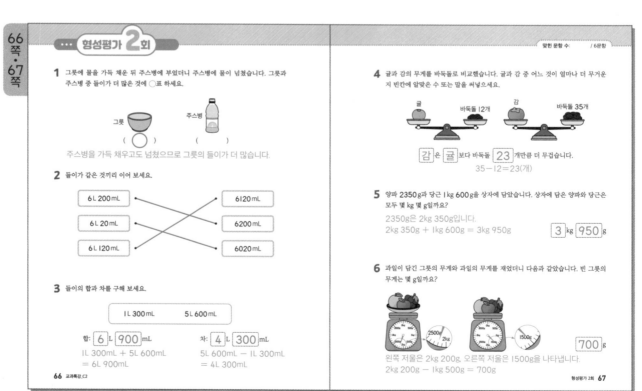

형성평가 2회

맞힌 문항 수: / 6문항

1 그릇에 물을 가득 채운 뒤 주스병에 부었더니 주스병에 물이 넘쳤습니다. 그릇과 주스병 중 들이가 더 많은 것에 ○표 하세요.

그릇   주스병

(○)   ( )

주스병을 가득 채우고도 넘쳤으므로 그릇의 들이가 더 많습니다.

2 들이가 같은 것끼리 이어 보세요.

6L 200mL		6120mL
6L 20mL		6200mL
6L 120mL		6020mL

3 들이의 합과 차를 구해 보세요.

1L 300mL   5L 600mL

합: $\boxed{6}$ L $\boxed{900}$ mL
1L 300mL + 5L 600mL
= 6L 900mL

차: $\boxed{4}$ L $\boxed{300}$ mL
5L 600mL − 1L 300mL
= 4L 300mL

4 귤과 감의 무게를 바둑돌로 비교했습니다. 귤과 감 중 어느 것이 얼마나 더 무거운 지 빈칸에 알맞은 수 또는 말을 써넣으세요.

귤   바둑돌 12개   감   바둑돌 35개

$\boxed{감}$ 은 $\boxed{귤}$ 보다 바둑돌 $\boxed{23}$ 개만큼 더 무겁습니다.
35−12=23(개)

5 양파 2350 g과 당근 1kg 600g을 상자에 담았습니다. 상자에 담은 양파와 당근은 모두 몇 kg 몇 g일까요?

2350g은 2kg 350g입니다.
2kg 350g + 1kg 600g = 3kg 950g

$\boxed{3}$ kg $\boxed{950}$ g

6 과일이 담긴 그릇의 무게와 과일의 무게를 재었더니 다음과 같았습니다. 빈 그릇의 무게는 몇 g일까요?

왼쪽 저울은 2kg 200g 오른쪽 저울은 1500g을 나타냅니다.
2kg 200g − 1kg 500g = 700g

$\boxed{700}$ g

"교과수학을 완성합니다."

수와 도형의 배열에서 규칙을 찾아
사고력을 기릅니다.

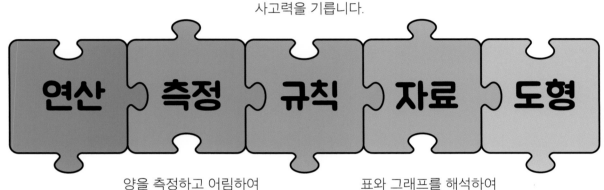

양을 측정하고 어림하여
실생활의 수 감각을 기릅니다.

표와 그래프를 해석하여
추론능력을 기릅니다.